# Le PACS

# Le PACS

**Alia Aoun**

## DELMAS
*express*

## PARMI LES AUTRES TITRES DE LA COLLECTION DELMAS

**ASSOCIATIONS,** *7e éd.*
F. Lemeunier

**BOURSE (LA), Comment gérer votre portefeuille,** *13e éd.*
O. Picon

**COPROPRIÉTÉ,** *16e éd.*
M. Weismann

**DIVORCE, Séparations de corps et de fait,** *15e éd.*
A. Daste

**INTERNET ET LE COMMERCE ÉLECTRONIQUE,** *1re éd.*
L. Bochurberg

**RÉGIMES MATRIMONIAUX ET CONTRATS DE MARIAGE,** *9e éd.*
J. Champion

**SPONSORING (LE),** *3e éd.*
G. Bigle et D. Roskis

**SUCCESSIONS,** *17e éd.*
Ch. Taithe

**TESTAMENTS ET DONATIONS,** *11e éd.*
E. Riondet et H. Sédillot

RELATIONS LECTEURS
BP 530
75666 PARIS CEDEX 14
Tél. 01 40 64 53 53
Fax 01 40 64 54 71

© 2000 Éditions Dalloz, Paris
ISBN 2 247 03928 6
ISSN 0750 3431
Dépôt légal : mars 2000

# DALLOZ

31-35 rue Froidevaux
75014 Paris
75685 PARIS CEDEX 14
Tél. 01 40 64 54 54
Fax 01 40 64 54 71

Internet http://www.dalloz.fr
e-mail:delmas@dalloz.fr

Malgrè l'attention portée à la rédaction de cet ouvrage, l'auteur ou son éditeur ne peut assumer une quelconque responsabilité du fait des informations qui y sont ou n'y sont pas contenues. Il y a donc lieu de s'adresser à un juriste qualifié pour traiter de problèmes particuliers.

**DANGER LE PHOTOCOPILLAGE TUE LE LIVRE**

Ce logo a pour objet d'alerter le lecteur sur la menace que représente pour l'avenir de l'écrit, tout particulièrement dans le domaine universitaire, le développement massif du « photocopillage ». Cette pratique, qui s'est généralisée, notamment dans les établissements d'enseignement, provoque une baisse brutale des achats de livres, au point que la possibilité même pour les auteurs de créer des œuvres nouvelles et de les faire éditer correctement est aujourd'hui menacée.
Nous rappelons donc que la reproduction et la vente sans autorisation, ainsi que le recel, sont passibles de poursuites. Les demandes d'autorisation de photocopier doivent être adressées à l'éditeur ou au Centre français d'exploitation du droit de copie:
20, rue des Grands-Augustins, 75006 Paris. Tél. : 01 44 07 47 70.

# Sommaire

# I. Qu'est-ce qu'un Pacs ?

Un « pacte civil de solidarité est un contrat conclu par deux personnes physiques majeures, de sexe différent ou de même sexe, pour organiser leur vie commune ».

L'inscription du pacte sur les registres lui donne date certaine. Elle le rend opposable aux tiers.

Le Pacs va créer des droits pour les partenaires à l'égard de tiers (administration fiscale, bailleur, employeur, etc.), mais aussi conférer des droits, pour des tiers, à l'encontre des partenaires.

*Il existe désormais quatre « catégories juridiques » de couples*

La loi sur le Pacs comporte deux volets : l'un instaure le pacte civil de solidarité (Pacs) alors que l'autre introduit une définition du concubinage dans le Code civil.

Il existe donc aujourd'hui quatre « catégories juridiques » de couples dans le droit positif français :

– les couples mariés ;
– les concubins hétéro ou homosexuels ayant une vie commune stable et continue ;
– les couples hétéro ou homosexuels partenaires d'un Pacs ;
– les couples non mariés ne vivant pas ensemble ou dont la vie commune n'est pas stable ou continue.

*Les partenaires d'un Pacs disposent d'une grande liberté pour organiser leur vie commune*

Le caractère contractuel du Pacs confère aux partenaires une grande liberté dans l'organisation de leurs rapports et la détermination de leurs engagements réciproques.

5

Cette liberté trouve cependant sa limite dans certaines dispositions impératives de la loi (l'existence d'une vie commune, l'engagement de fournir une aide mutuelle et matérielle, la solidarité à l'égard des tiers, les conditions de formation, de publicité et de cessation du Pacs, etc.) et dans celles, générales, du Code civil relatives aux contrats ou aux obligations conventionnelles.

### *Il leur appartient d'en tirer avantage*

La loi a défini un cadre légal qui s'impose en l'absence de clauses contraires stipulées dans le pacte.

Les partenaires ont tout intérêt à bien comprendre les conséquences de ce régime légal sur leur propre vie de couple, en particulier, sur ses aspects patrimoniaux et à s'interroger pour savoir s'il n'est pas utile, dans les limites de la liberté que leur accorde la loi, d'organiser différemment leur union. Le caractère contractuel du Pacs oblige à réfléchir avant de s'engager.

 ■ L'élaboration et la rédaction d'un Pacs constitue un événement important. Les partenaires doivent être à la fois prudents et imaginatifs, et ne pas hésiter, le cas échéant, à consulter un avocat ou un notaire pour qu'il les aide, à partir de leur situation personnelle, à trouver les meilleurs solutions.

### *Le Pacs se comprend par référence au mariage et au concubinage*

La loi sur le Pacs définit des règles générales en faisant référence à des notions inspirées des règles du mariage telles que l'aide mutuelle et matérielle et la solidarité à

6

l'égard des tiers pour les dettes contractées pour les besoins de la vie courante.

Le juge saisi d'une difficulté surgie à l'occasion de l'exécution du Pacs fera sans doute référence aux critères dégagés par la jurisprudence à propos des époux, mais il est encore trop tôt pour savoir dans quelle mesure des solutions connues leur seront transposées.

Par ailleurs, les partenaires engagés dans les liens d'un Pacs, en l'absence de dispositions spécifiques de la loi, bénéficieront des droits reconnus en jurisprudence aux concubins, tel que le droit à indemnisation en cas de décès du compagnon. L'exigence de stabilité du concubinage devrait être implicitement remplie du fait de la conclusion du Pacs.

# II. Conclure un Pacs

*Qui peut conclure un Pacs ?*

Le Pacs ne peut être conclu qu'entre « deux personnes physiques majeures ».
Cela exclut les mineurs, même émancipés par décision expresse ou par un précédent mariage.

■ En cela, la loi pose des conditions plus strictes que pour le mariage où l'homme doit avoir 18 ans et la femme 15, sauf dispense du procureur de la République accordée pour des motifs graves.
Le concubinage est, quant à lui, une union de fait indépendante de toute condition d'âge.

Ces deux personnes doivent former **un couple** et avoir une **résidence commune.**
Comme l'a précisé le Conseil constitutionnel, « la notion de vie commune ne couvre pas seulement une communauté d'intérêts et ne se limite pas à l'exigence d'une simple cohabitation entre deux personnes. (...) La vie commune suppose, outre une résidence commune, une vie de couple. »

■ Il a toutefois été indiqué, au cours des débats parlementaires, que si les personnes signataires d'un Pacs devaient avoir une résidence commune, elles « ne sont pas obligées de cohabiter et donc de vivre sous le même toit. »
Les tribunaux seront donc conduits à arbitrer entre ces deux conceptions (voir le Logement des partenaires).

## *Les exclus du Pacs*

Ne peuvent pas conclure un Pacs :
– **le majeur sous tutelle**, alors que le mariage lui est ouvert sous certaines conditions.
– **la personne mariée.**

■ Les liens du mariage sont dissous par le décès de l'autre époux, la nullité du mariage ou le divorce.

En cas de divorce, chacun des époux ne retrouve sa liberté qu'à partir du jour où la décision prononçant le divorce est devenue irrévocable, c'est-à-dire n'est plus susceptible d'appel ni de pourvoi en cassation. Au cours de la procédure de divorce, quelle qu'en soit la cause (faute, consentement mutuel, etc.), les époux ne peuvent donc pas conclure de Pacs.

– la **personne déjà engagée dans les liens d'un Pacs.**

■ Le mariage d'une personne déjà engagée dans les liens d'un Pacs est en revanche possible. D'ailleurs, le mariage met fin au Pacs.

Sans aller jusqu'à transposer au Pacs l'obligation de fidélité caractéristique du mariage, cette interdiction d'être lié par deux Pacs à la fois procède vraisemblablement du souci d'éviter les difficultés pratiques et juridiques qui naîtraient de la coexistence de deux ou plusieurs « vies communes » organisées. Cette analyse est confortée par le fait que l'infidélité du partenaire ne constitue pas en elle-même une hypothèse qui mettrait fin au Pacs, alors que la violation de l'obligation de fidélité est susceptible de constituer une faute conduisant au prononcé du divorce aux torts de l'époux infidèle.

– **un ascendant et un descendant en ligne directe** (un grand-père et sa petite-fille, une mère et son fils, etc.).

– **les alliés en ligne directe** (une belle-mère et son gendre, un beau-père et sa belle-fille, etc.).
– **les collatéraux jusqu'au troisième degré inclus** (un frère et sa sœur, une tante et son neveu).

■ La loi ne comporte pas de disposition relative au **majeur sous curatelle**. La validité du Pacs conclu doit donc s'apprécier en fonction du droit commun. Seule la validité des engagements qui n'entrent pas dans la catégorie des actes de la vie courante est subordonnée par la loi à l'autorisation du curateur. On peut supposer que l'autorisation du curateur ne devrait être exigée que si le Pacs comporte des clauses mettant à la charge des partenaires des obligations plus importantes que celles que la loi sur le Pacs attache à la signature d'une telle convention.

En effet, les engagements qui résultent impérativement du Pacs se rattachent à la vie courante, qu'il s'agisse de l'aide mutuelle et matérielle ou de la solidarité pour les dettes contractées « pour les besoins de la vie courante et pour les dépenses relatives au logement commun ». Si ces dettes ou dépenses devaient dépasser le cadre des actes de la vie courante, la possibilité qui est donnée au majeur protégé d'engager une action en rescision ou réduction constitue un garde-fou qui le protége des excès éventuels de son partenaire.

## Quelles sont les différences avec le mariage ?

Ces empêchements rappellent les obstacle au mariage. La loi sur le Pacs est cependant plus restrictive car :
– la conclusion d'un Pacs est interdite entre collatéraux jusqu'au troisième degré inclus alors que seules les unions maritales entre frères et sœurs naturels ou légitimes sont interdites ;
– la conclusion d'un Pacs est impossible entre un oncle ou une tante et sa nièce ou son neveu alors que leur mariage

peut être autorisé par le Président de la République, pour causes graves ;
– la conclusion d'un Pacs est interdite entre alliés en ligne directe alors que leur mariage peut être autorisé, après le décès de la personne qui a créé l'alliance (la mère ou le père), par le Président de la République, pour causes graves.

### ... et avec le concubinage ?

Le concubinage est par définition une union libre, non soumise à des empêchements particuliers. La relation peut être adultérine ou incestueuse.

### Que vaut un Pacs conclu malgré un empêchement ?

Le Pacs est nul et la nullité prévue est absolue.

■ Elle peut donc être invoquée par tout intéressé, y compris l'un des deux partenaires.

La seule exception dégagée par le Conseil constitutionnel vise l'hypothèse du Pacs conclu entre deux personnes dont l'une est placée sous tutelle. La nullité devrait être relative.

■ La nullité ne pourra donc être invoquée que par la personne que l'on entend protéger, en l'occurrence ce partenaire incapable.

## QUELLES SONT LES CONDITIONS À RESPECTER ?

Outre les conditions tenant à la capacité des partenaires, la validité du Pacs est subordonnée au respect des conditions générales du Code civil (consentement libre et éclairé, une cause licite et un objet certain) et à celles spécifiquement prévues par la loi sur le Pacs (résidence commune, etc.).

## Chacun des partenaires doit donc consentir librement à s'engager dans les liens du Pacs

L'absence de consentement de l'un des partenaires entraîne la nullité du Pacs. Cette nullité est absolue : elle peut être invoquée pour tout intéressé et soulevée d'office par le juge.

■ Il pourra s'agir, par exemple, et comme c'est déjà le cas pour le mariage, du Pacs conclu par un étranger en situation irrégulière sur le territoire français dans le seul but d'obtenir sa régularisation.

Le défaut de consentement est caractérisé par l'absence de véritable intention d'organiser la vie commune et/ou la non-cohabitation des partenaires.

■ Le Code civil prévoit un délai d'un an au cours duquel la nullité d'un mariage de complaisance pourrait être poursuivie à l'initiative du procureur de la République. En l'absence de dispositions spécifiques pour agir en nullité d'un « Pacs de complaisance », le délai devrait être le délai de prescription de droit commun de trente ans.

## Chacun des partenaires doit valablement consentir à s'engager dans les liens du Pacs

Son consentement doit être donné sans dol, violence ou erreur. La sanction d'un Pacs entaché de l'un quelconque de ces vices serait la nullité relative.

13

■ Elle peut être invoquée que par le partenaire dont le consentement a été vicié.

L'erreur sur la personne n'est, en principe, pas une cause de nullité d'un contrat « à moins que la considération de cette personne ne soit la cause principale de la convention ». Cependant, le Code civil admet la nullité du mariage en raison d'une erreur « dans la personne, ou sur des qualités essentielles de la personne » (existence d'une maladie mentale, d'une condamnation pénale ou impuissance du mari).

■ La jurisprudence dégagée à propos du mariage pourrait servir de référence s'agissant d'un Pacs puisque ce contrat a pour objet d'organiser la vie commune de deux personnes vivant en couple, et que la moralité, la bonne santé physique ou mentale peuvent constituer des motifs déterminant le choix du partenaire.

### La cause de leur engagement doit être licite

Le but poursuivi par chacun des partenaires, la cause impulsive et déterminante qui les a conduit à s'engager dans les liens du Pacs doit être licite.
Ainsi, la conclusion d'un Pacs « de complaisance » serait susceptible d'être sanctionnée sur le terrain de la cause illicite sous la double condition que l'autre partenaire ait eu connaissance du mobile animant celui qui avait pour seul objectif d'obtenir un titre de séjour, et que l'action en nullité ait été engagée à l'initiative d'un tiers puisque nul ne peut se prévaloir de sa propre turpitude.
Une telle nullité serait également encourue pour absence de cause de l'obligation de celui qui ignorait le mobile illicite

de son partenaire, qui n'avait jamais eu l'intention de s'engager réellement dans les liens d'un Pacs.

## QUELLE EST LA PROCÉDURE À SUIVRE ?

### *Au préalable, rédiger un Pacs*

La loi prévoit que les partenaires doivent, à peine d'irrecevabilité, produire deux exemplaires originaux de leur convention.
Si la convention n'a pas été passée devant notaire, les partenaires doivent donc fournir deux originaux.

■ Il n'est pas possible de produire un original et une copie certifiée conforme.

Dans le cas contraire, les originaux prennent la forme d'actes en brevet.
Dans sa forme la plus simple, il peut s'agir d'un simple document écrit faisant référence à la loi.

■ Par exemple, « Nous, Madame X et Madame Y concluons un pacte civil de solidarité régi par les articles 515-1 et suivants du Code civil. »

Mais dans la plupart des cas, il s'agira d'un véritable contrat organisant l'union des deux partenaires dans ses conséquences patrimoniales et extrapatrimoniales.
Le pacte est rédigé en langue française ou traduit en français.

### *Quelles pièces doivent accompagner le Pacs ?*

Chacun des partenaires doit produire :
– un document attestant de son identité (pièce d'identité, passeport, etc.) ;

■ Cette exigence se justifie mal puisque les partenaires doivent nécessairement produire un acte de naissance ou tout document en tenant lieu, production qui constitue en elle-même une preuve d'identité.

– une copie intégrale (ou les extraits avec filiation) de son acte de naissance, ou tout document en tenant lieu ;

 ■ Le greffier doit pouvoir s'assurer de la capacité des partenaires et de l'absence d'empêchement.

– une attestation sur l'honneur qu'il n'existe pas de lien de parenté ou d'alliance entre les partenaires qui constituerait un empêchement ;
– un certificat de non-Pacs ;

 ■ Ce document est délivré par le greffe du tribunal d'instance du lieu de naissance. Les personnes nées à l'étranger doivent se procurer ce document auprès du greffe du tribunal de grande instance de Paris. La circulaire attire l'attention sur la nécessité que ce document « soit très récent » sans plus de précision.

– une attestation sur l'honneur qu'il fixe la résidence commune du couple dans le ressort géographique du tribunal d'instance auprès duquel la déclaration est faite.
Le **partenaire divorcé ou veuf** doit également produire le livret de famille de l'union dissoute ou, à défaut, la copie intégrale (ou les extraits avec filiation) de l'acte de mariage dissout par le divorce ou de l'acte de naissance de son conjoint décédé.
En cas de déclaration conjointe faite dans un consulat français à l'étranger (au moins l'un des partenaires est un

Français résidant à l'étranger), celui des deux partenaires qui est français doit faire la preuve de sa nationalité française.

La fiche d'instructions adressée aux consulats précise, s'agissant du partenaire étranger d'un Français, que son état civil est établi par « les pièces d'état civil local, traduites en français et légalisées. »

 ■ Cette précision utile n'est pas reprise pour les déclarations faites auprès des greffes français.

### *Doit-on se présenter en personne ?*

Oui. Les signataires d'un Pacs doivent se présenter en personne au greffe du tribunal d'instance du lieu de leur résidence commune.

17

### *Comment se déroule l'enregistrement du Pacs proprement dit ?*

Le greffier vérifie uniquement sa compétence territoriale et la recevabilité de la demande d'enregistrement au regard des pièces produites.

 ■ Il doit refuser d'enregistrer la déclaration s'il constate, au vu des pièces d'état civil, qu'il existe soit une incapacité, soit un des empêchements définis à l'article 515-2 du Code civil.

Il prend alors une décision motivée d'irrecevabilité.

Si le greffier constate que le dossier est incomplet, il invite les partenaires à le compléter.

Le greffier n'a, en revanche, aucun pouvoir de contrôle sur le contenu du Pacs qui lui est présenté.

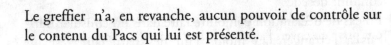

Après avoir vérifié la recevabilité de la déclaration au regard des pièces produites, le greffier (ou l'agent diplomatique ou consulaire) inscrit la déclaration sur un registre.

Il paraphe chaque page des deux exemplaires de la convention, et appose, à la fin de chaque acte, un visa comportant le numéro et la date d'enregistrement de la déclaration ainsi que sa signature et le sceau de la juridiction (ou du consulat). Un exemplaire de la convention est restitué à chacun des partenaires (il n'en est pas conservé de copie au greffe ou au consulat), accompagné d'une attestation d'inscription.

Le greffier (ou l'agent diplomatique ou consulaire) communique immédiatement, au besoin par télécopie, l'avis de mention au greffe du tribunal d'instance du lieu de naissance de chaque partenaire. Le greffier destinataire doit porter la mention sur le registre dans un délai de trois jours.

■ En cas de naissance de l'un des partenaire en Nouvelle-Calédonie, en Polynésie française, dans les Îles Wallis-et-Futuna, à Mayotte ou à Saint-Pierre-et-Miquelon, l'avis d'inscription est adressé par le greffier au greffe du tribunal de première instance du lieu de naissance. Lorsque l'un des signataires du Pacs est né à l'étranger, cette mention est également portée sur un registre tenu au tribunal de grande instance de Paris.

## *Quand le Pacs commence-t-il à produire ses effets ?*

À partir du moment où la déclaration est mentionnée sur le registre, le Pacs produit ses effets à l'égard des tiers.

■ En revanche, les partenaires son liés par les engagements qu'ils ont pris l'un envers l'autre dans leur pacte dès sa conclusion.

*Peut-on contester un refus d'enregistrement ?*

En l'absence de recours spécifique prévu par la loi, la décision motivée d'irrecevabilité du greffier peut être contestée par l'exercice d'un référé voie de fait devant le président du tribunal de grande instance.

*Doit-on redouter l'exploitation faite des données du fichier Pacs ?*

Les greffes et les agents diplomatiques auprès desquels les Pacs sont déclarés ont été autorisés à mettre en place des fichiers informatiques leur permettant, notamment, d'établir les certificats de non-Pacs, les attestations de Pacs, etc.

La constitution, la consultation et l'exploitation étant étroitement encadrées par deux décrets du 21 décembre 1999, les craintes exprimées lors du vote de la loi de voir ces données utilisées dans d'autres buts semblent aujourd'hui dépassées.

*Comment les tiers peuvent-ils prendre connaissance de l'existence d'un Pacs ?*

Cette information peut toujours leur être donnée par l'un des partenaires qui produit une attestation d'engagement dans les liens d'un Pacs.

Mais le **droit à l'accès direct** des tiers aux informations figurant dans les registres d'enregistrement des Pacs, concernant l'identité des partenaires et les dates et lieux d'enregistrement des déclarations initiale, modificative ou de dissolution de Pacs, n'est reconnu qu'à certaines personnes.

19

Il s'agit :
– de l'autorité judiciaire ;
– des notaires ;
– des agents chargés de l'exécution d'un titre exécutoire, notamment les huissiers ;
– des administrateurs judiciaires et mandataires liquidateurs désignés dans le cadre d'une procédure de redressement ou de liquidation judiciaire des entreprises mettant en cause l'un des partenaires ;
– de l'administration fiscale ;
– des organismes débiteurs de prestations familiales, de prestations d'assurance maladie ou de l'allocation de veuvage ;
– du tuteur d'un majeur protégé.
Un **droit de communication restreint**, exclusif des informations relatives aux nom, prénom, date et lieu de naissance du partenaire de la personne au sujet de laquelle la demande est faite, est reconnu aux :
– titulaires d'un droit de créance né d'un contrat conclu pour les besoins de la vie courante ou pour les dépenses relatives au logement ;
– aux syndics de copropriété.

 ■ Ces deux dernières catégories n'ayant pas accès aux informations relatives à l'identité du partenaire, l'exercice effectif de leur droit de faire condamner un partenaire au paiement des créances dont il est solidaire s'en trouve entravé.

# III. Modifier un Pacs

À tout moment, les partenaires peuvent décider, d'un commun accord, d'apporter des modifications au Pacs initialement conclu et enregistré.

À l'inverse, le contrat de Pacs ne peut pas être modifié par un seul des partenaires sans l'accord de l'autre. La seule solution est, en ce cas, d'y mettre fin.

■ Les partenaires ne doivent pas hésiter, s'ils se rendent compte que leur pacte initial est incomplet ou qu'il est devenu inapproprié à leur situation, à apporter les modifications propres à faciliter leur vie de couple.

*Quelles sont les formalités à respecter ?*

Les modifications doivent être constatées dans un écrit signé par les partenaires (acte sous seing privé) ou passé devant notaire (acte authentique).

Cet acte doit être conjointement présenté en double original, pour enregistrement, au greffe du tribunal d'instance qui a reçu l'acte initial, ou bien lui être adressé, par lettre recommandée avec avis de réception, accompagné d'une déclaration écrite conjointe, datée et signée par chaque partenaire.

Dans les deux cas, les partenaires indiquent la date d'enregistrement du Pacs initial.

Après inscription, le greffier vise et date l'acte modificatif avant de restituer un original à chacun des partenaires.

■ À l'étranger, les mêmes formalités sont accomplies par les agents diplomatiques ou consulaires français.

## *Quand les modifications produisent-elles leurs effets ?*

Entre les partenaires, dès la signature de l'acte modificatif.
À l'égard des tiers, à partir du moment où la modification
est régulièrement déclarée et mentionnée sur le registre.

# IV. Le logement des partenaires

Pour pouvoir conclure un Pacs, les partenaires doivent déjà avoir une vie commune, ce qui suppose, outre une résidence commune, une vie de couple.

■ Sont-ils, pour autant, obligés de cohabiter, c'est-à-dire de vivre sous le même toit ? Les tribunaux seront probablement amenés à trancher la question puisque la réponse est négative si on se reporte aux débats parlementaires, mais positive, si on se réfère à la décision du Conseil constitutionnel en date du 9 novembre 1999.

*Quelles sont les conséquences du Pacs sur le bail en cours conclu par un seul des partenaires ?*

L'engagement dans les liens d'un Pacs crée des droits en faveur du partenaire du locataire qui seul avait conclu le bail du logement commun.

■ Ces droits résultant de dispositions impératives, le contrat de bail ne peut pas prévoir de clauses contractuelles contraires. En revanche, les partenaires sont libres de faire valoir leurs droits ou non.

En **cas d'abandon du domicile** par le locataire, le contrat de bail continue au profit du partenaire lié au locataire par un Pacs.
Un abandon du domicile par le locataire, avec ou sans congé, n'est opposable au bailleur que s'il est brusque et imprévisible.

■ Le partenaire d'un Pacs, comme le concubin, est moins protégé que le conjoint marié, qui bénéficie de la cotitularité du bail conclu par l'autre conjoint, même antérieurement au mariage et quelque soit le régime matrimonial applicable.

Lors du **décès du locataire**, le bail est transféré au partenaire lié au locataire par un Pacs.

■ La déclaration de Pacs confère ici les mêmes droits que le contrat de mariage, alors qu'un concubin notoire ne dispose de ces droits qu'à la condition d'avoir vécu avec le locataire depuis au moins un an à la date d'abandon du domicile ou du décès.
La reconnaissance du concubinage homosexuel par la loi sur le Pacs met néanmoins fin à la jurisprudence de la Cour de cassation qui excluait les concubins de même sexe du bénéfice du droit au transfert du bail.

Enfin, le législateur accorde, sans établir de hiérarchie entre elles, à plusieurs personnes proches du locataire qui abandonne son logement ou qui décède, le droit de se prévaloir du droit à la continuation ou au transfert du bail : descendants, ascendants, personnes à charge ou concubin notoire vivant avec le locataire depuis au moins un an.

■ En cas de demandes concurrentes, le juge saisi se prononcera en fonction des intérêts en présence.

## *Qui est tenu du paiement du loyer ?*

Les partenaires d'un Pacs sont solidairement responsables « des dettes contractées par l'un d'eux pour les besoins de la vie courante et pour les dépenses relatives au logement commun ».

■ Cela recouvre les loyers et charges locatives ou les indemnités d'occupation ainsi que la taxe d'habitation, les règles de liquida-

24

tion et de paiement des impôts directs locaux s'appliquant aux partenaires qui font l'objet d'une imposition commune.

## La conclusion d'un Pacs intéresse aussi le droit de reprise du bailleur

Un bailleur qui conclut un Pacs peut délivrer congé à son locataire s'il justifie reprendre le logement au bénéfice de son partenaire, ou des enfants de celui-ci. Le Pacs doit avoir été enregistré à la date du congé.

■ Une personne engagée dans les liens d'un Pacs et ses enfants disposent ainsi des mêmes droits qu'un époux ou qu'un concubin notoire depuis au moins un an et que leurs enfants.

## PACS ET PROPRIÉTÉ DU LOGEMENT

Plusieurs hypothèses doivent être distinguées.

## Le logement appartenait à l'un des partenaires avant la conclusion du Pacs

S'il reste sa propriété en propre, des problèmes peuvent se poser, le cas échéant, à propos du **remboursement d'un prêt immobilier en cours**.

## Le partenaire non propriétaire doit-il participer à son remboursement, par application du jeu de la solidarité légale qui lie les partenaires ?

Si les dépenses relatives au logement commun sont couvertes par la solidarité, il a été jugé, à propos d'époux mariés,

25

que la solidarité ne s'appliquait pas aux remboursements d'un investissement immobilier.

■ Il devrait en être de même entre partenaires dès lors que l'achat a pour but la constitution d'un patrimoine propre à l'un d'entre eux.

Il n'est pas certain que cette solution, qui se comprend lorsqu'il s'agit d'un investissement, soit transposée aux échéances d'un emprunt souscrit par l'un des partenaires pour financer l'acquisition d'un bien propre constituant le logement commun.

■ Le pacte peut utilement organiser un système de récompenses dues, en cas de rupture, au partenaire qui a contribué au remboursement des échéances du prêt ayant permis à l'autre de devenir propriétaire du logement.

■ Exemple de clause : « En cas de rupture du Pacs, Monsieur X, qui demeure seul propriétaire du logement commun, remboursera à Monsieur Y le montant des échéances de remboursement du prêt immobilier souscrit par Monsieur X pour financer l'acquisition de ce logement, acquittées par Monsieur Y.
Les parties déduiront de ce montant une somme fixée d'un commun accord entre elles, correspondant à la part de loyer que Monsieur Y aurait acquitté pendant la durée de vie du Pacs si le logement commun avait été une location. »

## Le logement est acquis après la conclusion du Pacs

Le logement est réputé indivis par moitié sauf si l'acte d'acquisition contient une mention contraire.

■ Dans ce dernier cas, la question de la solidarité des partenaires dans le remboursement des échéances du prêt ayant servi à son acquisition peut aussi se poser.

## À QUI APPARTIENT LE MOBILIER DU LOGEMENT ?

Les meubles meublants acquis après la conclusion du Pacs appartiennent, en principe, par moitié à chacun des partenaires.

■ Le pacte peut cependant déroger à la règle en stipulant que les meubles meublants acquis après la conclusion du Pacs appartiendront au partenaire qui les a personnellement achetés.
Dans ce cas, le partenaire qui procède à l'achat devra le faire préciser (facture établie à son nom, par exemple) ou conserver la trace de son paiement (un relevé de compte bancaire, par exemple).

Il en va de même pour les autres meubles meublants dont la date d'acquisition n'est pas établie.

■ Pour éviter tout problème, les partenaires qui optent pour le régime de l'indivision légale tout en souhaitant conserver la propriété des biens qu'ils ont achetés avant la conclusion de leur Pacs ou certains de ces biens peuvent en dresser un inventaire et l'annexer à leur pacte. Si les partenaires conviennent que tous leurs biens existant au jour de la signature du Pacs ont été inventoriés, tous les autres pourront être considérés comme ayant été acquis postérieurement à la conclusion de ce pacte.

### Qu'entend-on par « meubles meublants » ?

Ne sont visés que les meubles destinés à l'usage et à l'ornement des appartements (tapisseries, lits, sièges, glaces, pendules, tables, porcelaines) et autres objets de cette nature (électroménager, etc.), les tableaux et les statues qui font partie du meuble d'un appartement, mais non les collections de tableaux exposés dans des galeries ou des pièces particulières.

 ■ La valeur d'un bien n'a pas d'incidence sur sa classification dans la catégorie des meubles meublants.

# V. Les obligations des partenaires

Le Pacs est un contrat destiné à organiser la vie commune de ses signataires. S'il est gouverné par le principe de la liberté contractuelle, l'autonomie de la volonté des partenaires trouve une double limite dans la notion d'ordre public et dans les dispositions impératives de la loi en général et de la loi sur le Pacs (solidarité à l'égard des tiers, imposition commune) en particulier.

## QUELS SONT LES DEVOIRS DES PARTENAIRES ENTRE EUX ?

Ils se doivent une **aide mutuelle et matérielle**. La loi n'en définit cependant pas le contenu.

■ La loi ne définit pas la notion d'aide mutuelle. Elle semble se distinguer de l'aide matérielle puisque le texte impose une « aide mutuelle et matérielle ». Faut- il y voir une référence au devoir d'assistance existant entre époux? En l'absence de plus de précision dans la loi ou dans la décision du Conseil Constitutionnel, il appartiendra au juge de répondre.

La consécration du principe d'une aide matérielle devrait permettre à un partenaire de saisir le juge d'une demande de pension alimentaire pour lui-même, ou de contribution aux charges de la vie courante.

■ En tout état de cause, l'instauration de cette aide mutuelle et matérielle entre les partenaires d'un Pacs distingue nettement leur situation de celle des concubins, qui continuent à devoir supporter individuellement les dépenses exposées dans le cadre de la vie commune. En effet, la délivrance d'un certificat de concubinage ou d'une attestation d'union libre n'emporte pas, par elle-même, d'effets juridiques. Ce document administratif a une simple valeur de renseignement.

Une personne vivant en union libre ne peut donc pas obtenir de décision judiciaire enjoignant à son compagnon ou à sa compagne de lui verser une pension alimentaire pour elle-même, ou une contribution aux charges du ménage. Les seules voies qui lui sont ouvertes sont celles, aléatoires, de la condamnation au remboursement d'une partie des sommes engagées sur le fondement de la théorie de l'enrichissement sans cause ou de la répétition de l'indû.

Si le pacte ne définit pas les modalités d'organisation de l'aide mutuelle et matérielle, le juge suppléera au silence du Pacs « en fonction de la situation respective des partenaires ».

■ Cette précision apportée par le Conseil constitutionnel rappelle un critère pris en considération pour la détermination de la contribution des époux aux charges du mariage.

## Peut-on contractuellement organiser cette aide ?

Le pacte peut organiser les modalités de cette aide, mais il ne peut l'exclure. Toute clause qui méconnaîtrait le caractère obligatoire de cette aide serait nulle.

En cas de litige, le juge appréciera les modalités d'organisation de l'aide matérielle.

Des déséquilibres importants entre les obligations des partenaires pourraient caractériser l'existence de clauses léonines.

*Les partenaires sont-ils tenus par un devoir de fidélité ?*

Non, mais ils peuvent s'y engager par une clause du pacte. Cela autoriserait une demande de dommages-intérêts du fait du manquement par l'un des partenaires à une obligation contractuelle.

*Sont-ils obligés de vivre ensemble ?*

Si les partenaires doivent avoir une résidence commune, ils ne sont pas obligés de cohabiter et donc de vivre sous le même toit.

■ Cette précision, apportée lors des débats parlementaires, a toutefois été contredite par le Conseil constitutionnel, pour qui une vie de couple suppose une résidence commune.

## Quelles sont les obligations des partenaires à l'égard des tiers ?

Leurs obligations sont essentiellement d'ordre financier.

**Les partenaires d'un Pacs sont solidairement responsables « des dettes contractées par l'un d'eux pour les besoins de la vie courante et pour les dépenses relatives au logement commun ».**

Mais la solidarité ne s'exerce effectivement que si les tiers ont connaissance de l'existence du Pacs (voir Conclure un Pacs).

■ La solidarité à l'égard des tiers pour les dettes de la vie courante impose aux partenaires engagés dans les liens d'un Pacs une obligation à laquelle échappent les couples vivant en union libre.

Elle rapproche leur situation de celle des époux sans pour autant s'y assimiler. En effet, quel que soit le régime matrimonial, la solidarité qui existe entre les époux est plus réduite.

## Qu'induit la règle de la solidarité ?

Le créancier qui a contracté avec un des partenaire peut, s'il connaît l'existence du Pacs, exiger de l'autre partenaire le paiement de la totalité des sommes qui lui sont dues. Ce dernier pourra ensuite réclamer le remboursement de la moitié des frais à son partenaire.

## Peut-on, dans son Pacs, écarter ou aménager cette solidarité ?

Les partenaires ne peuvent déroger à cette règle en stipulant dans le pacte une clause qui réduirait la portée de cette solidarité.

En revanche, ils peuvent décider de l'étendre en stipulant des clauses contractuelles en ce sens. Ces clauses s'imposeront aux partenaires. Ils seront ainsi moins tentés de recourir au juge pour déterminer le champ d'application de la solidarité prévue par la loi.

## Quelles sont les dettes couvertes par cette solidarité ?

Les **dépenses relatives au logement commun** sont les loyers, les charges ou les autres indemnités d'occupation.

■ Il a été jugé, à propos d'époux mariés, que la solidarité ne s'appliquait pas aux remboursements d'un investissement immobilier, solution transposable ici dès lors que l'achat a pour but la constitution d'un patrimoine propre à l'un des partenaires. Il n'est pas certain, en revanche, que cette solution, qui se comprend lorsqu'il s'agit d'un investissement, soit étendue aux échéances d'un emprunt souscrit par l'un des partenaires pour financer l'acquisition d'un bien propre constituant le logement commun (voir Le logement des partenaires).

**Les dettes contractées pour les besoins de la vie courante** se rapportent aux dépenses engagées pour l'entretien du couple et des enfants.

■ Il s'agit, par exemple, des frais de cantine et des primes d'assurances obligatoires.

Contrairement aux règles du mariage où la solidarité entre époux pour les dettes relatives à l'entretien du ménage ne concerne pas les dépenses manifestement excessives, la loi sur le Pacs ne prévoit aucune limite.

Il en résulte un risque réel pour les partenaires, risque dont le Conseil constitutionnel a tenté de tempérer les conséquences en considérant que la solidarité ne saurait faire obstacle, en cas d'excès commis par l'un des partenaires, à l'application des règles de droit commun relatives à la responsabilité civile.

■ Cela n'interdit pas qu'un créancier puisse se prévaloir de la solidarité pour exiger le paiement, par le partenaire de celui qui aurait engagé une « dépense excessive ». Le partenaire qui a payé devrait seulement pouvoir obtenir la condamnation de son partenaire au remboursement à son profit du montant intégral de la dépense excessive engagée, et non pas uniquement de la part qui serait restée à sa charge s'il s'était agi d'une dépense courante.

33

## Comment apprécier le caractère manifestement excessif d'une dépense ?

Les juges devraient pouvoir se référer aux critères retenus à propos du mariage.

L'excès s'apprécie eu égard « au train de vie du ménage, à l'utilité ou l'inutilité de l'opération, à la bonne ou mauvaise foi du tiers contractant ».

■ Par précaution, les partenaires peuvent prévoir dans leur pacte la fixation d'un montant au-delà duquel une dépense est considérée manifestement excessive.

■ Par exemple : « Aucune dépense d'un montant supérieur à 5 000 francs TTC, engagée par l'un des partenaires sans l'accord exprès de l'autre ne sera considérée comme étant une dette contractée pour les besoins de la vie courante ou du logement commun. »

■ Cette clause est inopposable au tiers contractant de bonne foi, mais elle autorise un partenaire à faire supporter le poids final de la dépense au partenaire qui l'a engagée, sans recours nécessaire au juge.

## Les emprunts sont-ils concernés ?

Oui, dès lors que les achats à crédit et les emprunts ont été conclus pour satisfaire des besoins de la vie courante ou des dépenses relatives au logement commun sans que cette solidarité soit conditionnée, comme dans le cadre du mariage, par le caractère modeste des sommes engagées ni leur nécessité eu égard aux besoins de la vie courante.

34

# VI. Le patrimoine des partenaires

L'article 515-5 introduit dans le Code civil par la loi sur le Pacs instaure un régime subsidiaire d'indivision, par moitié, entre les partenaires.

■ Les biens acquis postérieurement à la conclusion d'un Pacs n'entreront dans le patrimoine propre de l'un ou l'autre des partenaires qu'à condition de le prévoir dans le pacte dès sa conclusion ou lors d'une modification en ce qui concerne les meubles meublants, et à l'occasion de chaque acte d'acquisition s'agissant des autres biens.

Mais rien n'interdit aux partenaires, sous réserve des droits des tiers (en particulier les héritiers réservataires), d'élargir le champ de l'indivision légale en prévoyant, dans leur pacte initial ou dans une déclaration modificative, de soumettre les biens qu'ils possédaient avant la déclaration de Pacs au régime de l'indivision.

■ Cela suppose que des donations soient consenties concernant les biens antérieurs. Elles seront soumises aux règles d'imposition fiscale.

Les partenaires peuvent également — dans la convention initiale de Pacs ou dans une déclaration modificative, s'agissant des biens meubles, et à l'occasion de l'acte d'acquisition pour un autre bien —, soit soustraire leurs biens au régime de l'indivision, soit les soumettre au régime conventionnel d'indivision prévu aux articles 1873-1 et suivants du Code civil.

## Quand débute l'indivision ?

Elle s'applique à compter de la « conclusion » du pacte (et non de sa déclaration régulière) alors que l'indivision n'est pas sans effet sur les droits des tiers.

La présomption d'indivision prévue dans la loi ne manquera pas de susciter des difficultés, en particulier pour les biens autres que les meubles meublants, dont le sort ne peut être arrêté dans le pacte.

■ Prenons l'exemple de l'achat d'une voiture par l'un des partenaires, avec ses fonds propres.

Si le contrat ne précise pas que la propriété du véhicule est attribuée exclusivement à l'acheteur, l'autorisation de l'autre partenaire sera nécessaire pour le revendre.

Si, au contraire, l'acheteur a pris la précaution de se réserver la propriété exclusive du véhicule dans l'acte d'achat, mais ne l'a pas dit à son partenaire, ce dernier pourra croire, de bonne foi, que ce bien est indivis.

Les partenaires engagés dans les liens d'un Pacs ont donc l'obligation d'être particulièrement vigilants. Ils doivent s'astreindre à s'informer mutuellement, ce que leur pacte peut d'ailleurs prévoir.

■ Exemple de clause d'information à insérer dans le pacte ou dans une déclaration modificative : « Chaque partenaire s'engage à informer son partenaire de la mention de propriété exclusive portée sur l'acte à l'occasion de d'acquisition d'un bien. »

## La fin du Pacs entraînera dans tous les cas un partage

Que les partenaires aient opté pour le régime de l'indivision légale, en ayant souscrit un Pacs et acquis des biens sans avoir manifesté de volonté contraire, ou qu'ils aient choisi de soumettre leurs biens au régime de l'indivision conventionnelle, la dissolution du Pacs ne mettra pas fin, par elle-même, à l'indivision. Il faudra recourir au partage, amiable ou judiciaire, des biens indivis.

■ Les partenaires doivent avoir conscience qu'ils ne récupéreront pas au moment de la rupture, sauf accord entre eux sur ce point, chacun leur patrimoine.

### *Quels sont les biens exclus de la présomption d'indivision ?*

Sont exclus les biens acquis à titre gratuit, c'est-à-dire ceux acquis par succession, legs ou donation.
Ces biens demeurent dans le patrimoine propre de celui des partenaires qui les reçoit.

37

### *Peut-on limiter la portée de cette indivision par des clauses particulières ?*

Tous les biens acquis postérieurement à la conclusion d'un Pacs sont présumés indivis par moitié, à moins que :
– le pacte ou un acte modificatif n'exclue le régime de l'indivision ou ne prévoie une indivision autre que par moitié, s'agissant des meubles meublants ;
– l'acte d'acquisition ou de souscription des autres biens n'exclue le régime de l'indivision ou ne prévoie une indivision autre que par moitié.

### *Le cas particulier des meubles meublants*

La présomption d'indivision s'attache aux meubles meublants achetés après la conclusion d'un Pacs et à ceux dont la date d'acquisition n'a pu être établie (voir Le logement des partenaires).

■ Le régime est ici draconien puisque les partenaires ne peuvent pas exclure les biens du régime de l'indivision à l'occasion de l'acte d'achat. Ils ne peuvent exclure l'application de ce régime que dans le contrat de Pacs ou dans une déclaration modificative. D'où l'attention particulière qu'il faut accorder à la rédaction de l'acte.

■ Exemple de clause d'exclusion : « Les meubles meublants acquis par chaque partenaire postérieurement à la conclusion du présent pacte demeureront sa propriété exclusive ».

## Les biens autres que les meubles meublants

Les biens autres que les meubles meublants achetés après la conclusion d'un Pacs sont présumés être indivis par moitié à moins que l'acte d'acquisition ou de souscription n'en dispose autrement.

Entrent dans cette catégorie les biens immobiliers et des biens mobiliers aussi divers qu'un véhicule automobile, un fonds de commerce ou des parts sociales, des actions, obligations, etc.

■ Exemple de clause d'exclusion à insérer à l'occasion de l'acquisition d'un bien autre qu'un meuble meublant : « Monsieur X déclare engager des fonds propres pour l'achat de ce bien dont il conservera la propriété exclusive. »

## Que se passe-t-il lorsque la date d'achat de ces biens autres que des meubles meublants n'est pas établie ?

Dans le silence de la loi, deux hypothèses doivent être distinguées.

Soit l'acte d'acquisition non daté attribue la propriété exclusive du bien à l'un des partenaires : ce bien échappe au régime de l'indivision.

Soit l'acte d'acquisition d'un bien n'a pu être retrouvé, n'existe pas ou existe mais ne comporte ni date ni disposition contraire au régime de l'indivision légale : il devrait alors être soumis au régime de l'indivision par moitié.

■ En effet, même si le texte de la loi ne prévoit pas expressément, comme en matière de meubles meublants, une présomption d'indivision dans cette hypothèse, la loi instaure un régime d'indivision par moitié, de principe, qui devrait s'appliquer aux biens autres que les meubles meublants et dont la date d'acquisition n'a pu être établie.

39

*Les partenaires peuvent-ils soustraire, dès la signature du pacte initial, tous leurs biens au régime de l'indivision ou, à l'occasion de la signature de l'acte d'acquisition, certains meubles meublants?*

Non. Sans doute, le législateur a-t-il été inspiré par l'idée qu'une communauté de vie emporte une certaine communauté de biens.

Comme nous l'avons vu, le régime est plus draconien s'agissant des **meubles meublants** : les partenaires ne peuvent les exclure de l'indivision à l'occasion de l'achat que s'ils ont prévu cette possibilité dans le contrat de Pacs ou dans une déclaration modificative.

S'agissant des **autres biens**, supposés être moins nécessaires à la vie courante et de plus grande valeur que les meubles meublants, le législateur n'a pas souhaité conférer aux partenaires la possibilité de les exclure d'emblée, dès la signature du Pacs, de l'indivision. Il a plutôt encouragé la réflexion au cas par cas.

### Dresser l'inventaire de ses biens à la date de conclusion du Pacs paraît être une précaution utile

Afin de prévenir les difficultés qui peuvent s'attacher à la détermination de la date d'achat d'un bien ou à sa classification dans telle ou telle catégorie de biens, les partenaires qui optent pour le régime de l'indivision légale tout en souhaitant conserver la propriété des biens qu'ils ont achetés avant la date de leur engagement dans les liens d'un Pacs, ou de certains de ces biens, peuvent en dresser un inventaire et l'annexer au pacte.

 ■ Si les partenaires conviennent que tous leurs biens existant au jour de la signature du Pacs ont été inventoriés, tous les autres pourront être considérés comme ayant été acquis postérieurement à sa conclusion.

### Quelles sont les effets de cette indivision dans les rapports des partenaires entre eux ?

Le consentement des deux partenaires est nécessaire pour les actes d'administration et de disposition concernant les biens indivis.

L'acte passé par un seul partenaire est valable mais inopposable à son partenaire, à moins qu'il ne s'agisse de mesures nécessaires à la conservation des biens indivis. Il peut, dans ce cas, employer les fonds nécessaires.

■ Le contrat de Pacs ou tout acte postérieur peut prévoir un **mandat d'administration** en faveur de l'un des partenaires.

■ Exemple de clause de mandat d'administration : « Madame X donne à Monsieur Y mandat pour la représenter à l'occasion de l'accomplissement de tous les actes d'administration des biens indivis ».

Sous peine de nullité de la vente, l'indivisaire qui entend vendre à un tiers ses droits sur un bien indivis doit le notifier à son partenaire par acte d'huissier afin de le mettre en mesure d'exercer son droit de préemption.

Chaque partenaire peut cependant, à tout moment, provoquer le partage en justice des biens indivis.

Lors de la liquidation des biens soumis au régime de l'indivision, l'un des partenaires peut en demander l'attribution préférentielle (voir La rupture).

41

■ Une **indivision conventionnelle** peut être conclue pour une durée déterminée ne pouvant excéder cinq ans. Elle permet de désigner l'un des partenaires comme gérant de l'indivision et de déterminer ses pouvoirs. Les droits des créanciers restent les mêmes que dans le cadre de l'indivision légale.

## Des difficultés sont à prévoir

En l'état actuel du régime de publicité applicable au Pacs, la présomption d'indivision risque de susciter des difficultés d'application.

Prenons l'exemple de l'achat d'un appartement par l'un des partenaires, après la conclusion du Pacs. En l'absence de dispositions contraires dans l'acte, l'immeuble sera indivis, par moitié, entre les deux partenaires.

Une difficulté peut surgir au moment de la revente de cet appartement. En effet, seul l'acquéreur apparaît sur l'acte. Si ce dernier ne révèle pas au notaire son engagement dans les liens d'un Pacs, la vente pourrait se réaliser en méconnaissance des droits de l'autre partenaire.

■ Ce risque de fraude ou d'erreur devrait inciter les notaires - lesquels ont accès aux informations contenues dans les registres des Pacs -, en présence d'un client vendeur d'un bien immobilier, s'il est célibataire, veuf ou divorcé, ou à l'occasion d'une donation ou du règlement d'une succession, à demander une attestation de non-Pacs.

*Quelles sont les effets de cette indivision dans les rapports des partenaires avec leurs créanciers ?*

Les créanciers antérieurs à la conclusion du Pacs qui auraient pu, avant l'indivision, agir sur les biens indivis et sur ceux dont la créance résulte de la conservation ou de la gestion des biens indivis peuvent poursuivre la saisie ou la vente des biens indivis.

Les créanciers personnels de l'un des partenaires peuvent provoquer le partage au nom de leur débiteur ou intervenir dans le partage provoqué par lui, mais ils ne peuvent pas saisir sa part dans les biens indivis.

Ceux dont la créance se rapporte à une dépense engagée pour les besoins de la vie courante ou relative au logement des partenaires peuvent poursuivre son recouvrement sur les biens indivis.

L'exercice, par les créanciers des partenaires, suppose qu'ils connaissent l'existence du Pacs. Or l'accès aux registres des

Pacs leur est interdit, ou tout au moins très limité (voir Conclure un Pacs).

■ Le régime légal des biens indivis des partenaires engagés dans les liens d'un Pacs se rapproche de celui des époux mariés. Mais les règles de remploi et de récompense qui s'appliquent à la communauté légale ne sont pas prévues s'agissant de l'indivision de biens résultant de la signature d'un Pacs. Cela emporte des conséquences pratiques notables.

Par exemple, l'acquisition d'un bien entrant dans le domaine de l'indivision avec des fonds propres appartenant à l'un des partenaires ne donnera pas lieu à remploi lors du partage, même si l'acte d'acquisition précise l'origine des fonds.

La situation des partenaires liés par un Pacs se distingue nettement de celle des personnes vivant en union libre, qui restent individuellement propriétaires de leurs biens.

# VII. Les enfants

La loi sur le Pacs n'a pas d'incidence sur l'état civil, les règles relatives à la filiation ou l'autorité parentale.

Le sort des partenaires liés par un Pacs semble être, en revanche, aligné sur celui des parents mariés pour l'exercice des droits aux congés pour événements familiaux.

## Les enfants du couple

Le Pacs ne produit aucun effet spécifique sur la situation juridique des enfants issus de l'union des deux partenaires, avant ou après sa conclusion. Ils s'agit d'enfants naturels.

## Peut-on conserver le bénéfice de l'allocation de parent isolé ?

Cette allocation est servie à toute personne isolée résidant en France et assumant seule la charge d'un ou de plusieurs enfants. La conclusion d'un Pacs mettant fin à cet isolement, le partenaire qui bénéficiait de l'allocation n'y a plus droit.

■ Le Pacs constitue la preuve de la rupture de l'isolement, preuve qui devait être apportée par l'Administration.

## Les concubins homosexuels sont désormais concernés

Si l'existence d'une vie maritale retirait le bénéfice de ce droit, les circulaires CNAF 34-76 du 28 septembre 1976 et 14-78 du 16 mars 1978 avaient précisé qu'un allocataire vivant avec une personne de même sexe était considéré comme seul. Les concubins homosexuels bénéficiaient ainsi d'une discrimination positive.

■ La reconnaissance du concubinage homosexuel par la loi sur le Pacs devrait mettre fin à cette discrimination, indépendamment de la conclusion d'un Pacs.

*La solidarité assure-t-elle une stabilité pécuniaire ?*

S'agissant des demandes de pension alimentaire pour un enfant commun, les partenaires engagés dans les liens d'un Pacs se trouvent dans la même situation que des parents concubins ou mariés.

Ils peuvent néanmoins prévoir des clauses d'attribution de pension alimentaire dans le pacte ou à l'occasion d'une déclaration modificative.

■ Exemple de clause de contribution à l'entretien et à l'éducation de l'enfant commun : « En cas de rupture du pacte, chaque partie s'engage à verser au partenaire chez qui la résidence principale de l'enfant commun aura été amiablement ou judiciairement fixée une pension alimentaire mensuelle au moins égale à 15 % de ses revenus mensuels nets appréciés au jour de la rupture ».

*Les congés pour événements familiaux.*

En cas de **naissance ou d'adoption**, le partenaire bénéficie d'un congés spécial de trois jours.

■ Ce congé devrait aussi profiter aux concubins puisque le seul critère retenu par la loi est celui de la survenance de l'événement au foyer du salarié.

En cas de **décès d'un enfant**, un congé spécial de deux jours est prévu. En revanche, le décès d'un enfant du partenaire du salarié qui serait né avant le Pacs ou ne serait pas né « à son foyer » ne devrait pas faire naître de droit à ce congé.

Un jour pour le **mariage d'un enfant**. L'innovation introduite par la loi sur le Pacs n'a de sens qu'en ce qui concerne le mariage d'un enfant du partenaire. La même distinction que celle applicable au congé résultant du décès d'un tel enfant devrait déterminer le droit du salarié à ce congé. Si cet enfant est né après la conclusion d'un Pacs, au foyer du salarié, ce dernier devrait pouvoir exercer ce droit. Dans le cas contraire, le lien avec cet enfant ne serait pas suffisamment caractérisé pour justifier un droit à congé.

### Le congé pour enfant malade

Ce congé est prévu pour le salarié en cas de maladie ou d'accident d'un enfant de moins de 16 ans dont il assume la charge effective et permanente.

■ La conclusion d'un Pacs est indifférente à cet égard, à moins que le pacte n'attribue, par une clause particulière, la charge financière d'un enfant à tel partenaire. Ce dernier pourrait alors se prévaloir du droit d'obtenir ce congé.

### La conclusion d'un Pacs peut-elle remettre en cause la pension alimentaire versée par l'ex-conjoint d'un des partenaires ?

Un époux divorcé ne peut obtenir le versement d'une **pension alimentaire** qu'en cas de divorce pour rupture de la vie commune, procédure rarement utilisée.

Le versement de cette pension cesse de plein droit en cas de remariage de l'époux qui la reçoit. Sa suppression peut aussi être justifiée par le concubinage notoire de cet époux. Celui

47

qui paye la pension doit le prouver et saisir le juge aux affaires familiales de sa demande de suppression.

■ La conclusion d'un Pacs facilitera cette preuve.

Lorsque l'époux divorcé perçoit, à titre de **prestation compensatoire**, une rente, son montant ne peut pas, en principe, être révisé, à moins que l'absence de révision ait pour l'un des conjoints des conséquences d'une exceptionnelle gravité.

■ La conclusion d'un Pacs par l'époux divorcé qui la reçoit n'a donc pas de conséquence directe.

Enfin, le montant de la **pension** versée par le parent qui n'a pas la garde des **enfants** peut être révisé en cas de « survenance d'un fait nouveau ».

■ La conclusion d'un Pacs par le parent qui reçoit la pension pourrait justifier cette révision, non pas par elle-même, mais dans la mesure où cette union aurait une incidence sur la situation financière du partenaire qui en bénéficie.

## L'adoption et la procréation médicalement assistée

La loi n'a pas modifié les règles relatives à l'adoption ou à la procréation médicalement assistée.

Elles restent réservées aux partenaires de sexe différent.

En cas d'adoption ou de recours par l'un des partenaires à la procréation médicalement assistée, aucun lien juridique n'existera entre son partenaire et l'enfant concerné.

# VIII. Conséquences pour les salariés ou les fonctionnaires

*Les partenaires d'un Pacs bénéficient-ils des congés payés simultanés ?*

Le Code du travail impose à l'employeur de prendre en considération la situation de famille des bénéficiaires, et notamment les « possibilités de congé du conjoint dans le secteur privé et public » pour déterminer l'ordre des départs en congés de ses salariés.

Ces dispositions s'appliquent aux partenaires liés par un Pacs. Encore faut-il que leur employeurs soient informés de leur union dans le cadre d'un Pacs.

■ Rappelons que l'ordre des départs en congés n'est fixé par l'employeur en fonction de la situation de famille et de l'ancienneté du salarié qu'à défaut de conventions ou accords collectifs du travail ou usages contraires.

## Et des congés pour événements familiaux ?

La loi sur le Pacs se contente de leur rendre applicables les dispositions de l'article L. 226-1 du Code du travail sans préciser, comme en matière fiscale, par exemple, que le mot « conjoint » sera complété par les mots « partenaire lié par un Pacs ».

■ La transposition de certaines des dispositions de cet article risque de poser des difficultés d'interprétation, qu'il appartiendra aux tribunaux de trancher, le cas échéant.

Tout salarié bénéficie, sur justification, d'une autorisation exceptionnelle d'absence de :

– quatre jours à l'occasion de son mariage. La transposition de ce droit aux partenaires liés par un Pacs doit les faire bénéficier du même droit à congé à l'occasion de la **déclaration de Pacs** ;
– trois jours pour chaque **naissance** survenue au foyer ou pour l'arrivée d'un enfant placé en vue de son **adoption**, deux jours pour le décès d'un enfant et un jour pour le **mariage d'un enfant** (voir Les enfants) ;
– deux jours pour le **décès** du conjoint, en l'occurrence, **du partenaire**.

■ La loi n'accorde pas de congé à l'occasion du décès d'un concubin et, *a fortiori,* pour le décès d'un enfant qui serait né de l'union de ce concubin avec une autre personne que le salarié.

– un jour pour le **décès du père ou de la mère du partenaire**.

■ La Cour de cassation a étendu ce droit à congé au cas du décès du père ou de la mère du conjoint marié du salarié. Par analogie, le congé devrait bénéficier au salarié à l'occasion du décès du père ou de la mère de son partenaire.
Cette jurisprudence crée une situation paradoxale dans laquelle le décès d'un beau-père ou d'une belle-mère (ou du père ou de la mère d'un partenaire) crée un droit à congé, mais pas le décès ou le mariage d'un enfant du conjoint ou du partenaire, sauf s'il est né au foyer du partenaire concerné.

## La protection prévue pour le conjoint salarié du chef d'entreprise est étendue à son partenaire

Le salarié lié au chef d'entreprise par un Pacs bénéficie des dispositions du Code du travail « dès lors qu'il participe effectivement à l'entreprise ou à l'activité de son (partenaire) à titre professionnel et habituel et qu'il perçoit une rémunération horaire minimale égale au salaire minimum de croissance ».

## Les fonctionnaires unis par un Pacs bénéficient des priorités d'affectation

Dès la déclaration de Pacs, les fonctionnaires de la fonction publique hospitalière, territoriale ou de l'État peuvent se prévaloir des priorités d'affectation en vue de leur rapprochement. Pour la **fonction publique de l'État, en cas de mutation**, « les affectations prononcées doivent tenir compte des demandes formulées par les intéressés et de leur situation de famille. Priorité est donnée aux fonctionnaires séparés de leur conjoint pour des raisons professionnelles, aux fonctionnaires séparés pour des raisons professionnelles du partenaire avec lequel ils sont liés par un pacte civil de solidarité, [...] ».

La même priorité est accordée en matière de **détachement et de mise à disposition**.

Pour la **fonction publique territoriale et hospitalière**, l'autorité territoriale qui statue sur les demandes de mutation, sur le détachement et la mise en disponibilité des fonctionnaires doit respecter le même ordre des priorités entre ceux qui sont séparés pour des raisons professionnelles de leur conjoint ou du partenaire avec lequel ils sont liés par un pacte civil de solidarité.

## Les partenaires bénéficient-ils de la déduction des frais réels de déplacement des salariés ?

Les salariés peuvent déduire de leurs revenus imposables les frais de transport exposés à l'occasion du trajet accompli entre leur lieu de travail et leur domicile si ce trajet n'excède pas 40 kilomètres.

Des circonstances particulières telles que l'obligation de communauté de vie entre époux peuvent autoriser la déductibilité au-delà de cette distance.

■ Les juridictions administratives ont étendu cette possibilité aux concubins hétérosexuels dont la relation était stable et continue. L'engagement dans les liens d'un Pacs pourrait également être considéré comme un gage du caractère stable et continu du concubinage homosexuel ou hétérosexuel.

Par ailleurs, l'assimilation légale du concubinage homosexuel au concubinage hétérosexuel permettra au salarié homosexuel vivant en concubinage de bénéficier de la déductibilité des frais de transport exposés à l'occasion du trajet effectué entre son lieu de travail et le domicile de son compagnon séparés par plus de 40 kilomètres.

# IX. Sécurité et protection sociale des partenaires

*Le partenaire d'un assuré social peut bénéficier des prestations d'assurances maladie et maternité*

La personne liée à un assuré social par un Pacs bénéficie des prestations en nature des assurances maladie et maternité si elle ne peut avoir la qualité d'assuré social à un autre titre, et à condition de rapporter la preuve qu'elle se trouve à la charge effective, totale et permanente de son partenaire.

■ La situation d'un couple engagé dans les liens d'un Pacs est ainsi assimilée à celles des concubins hétérosexuels ou des époux.

Celle des concubins homosexuels non engagés dans les liens d'un Pacs est empreinte d'une certaine incertitude. En effet, le Code de la Sécurité sociale exclut le compagnon homosexuel de la définition de « personne qui vit maritalement avec un assuré social », mais lui accorde le bénéfice de la qualité d'ayant-droit de son compagnon assuré social à compter d'un an de vie commune, au moins. Or, si la loi sur le Pacs a reconnu l'existence du concubinage homosexuel, elle n'a pas expressément étendu le bénéfice du régime de l'affiliation en qualité d'ayant droit qu'au partenaire lié par un Pacs. à moins que les tribunaux ou les caisses d'assurance maladie ne considèrent désormais que la notion de vie maritale s'applique aux concubins homosexuels, l'exigence d'une durée de vie commune d'un an devrait continuer à leur être applicable tant que le Code de la sécurité sociale n'aura pas été modifié.

### *Les partenaires bénéficient de l'assurance décès*

Le partenaire de l'assuré social décédé se voit reconnaître la qualité d'ayant droit.

Le versement de ce capital s'effectuera par priorité aux personnes qui étaient, au jour du décès, à la charge effective, totale et permanente de l'assuré.

Si aucune priorité n'est invoquée dans un délai d'un mois, le capital lui est attribué avant les descendants et les ascendants de son partenaire décédé.

■ L'engagement dans les liens d'un Pacs confère ainsi un avantage qui est refusé au concubin à moins que ceui-ci ne justifie avoir été, au jour du décès, à la charge effective, totale et permanente de l'assuré.

### *La conclusion du Pacs fait perdre le droit à l'allocation de soutien familial ...*

Cette allocation est servie au père, à la mère ou à la personne physique qui assume la charge effective et permanente d'un enfant orphelin ou dont la filiation n'est pas légalement établie à l'égard au moins de l'un de ses parents ou dont au moins l'un des parents n'assure pas l'entretien.

Le père, la mère ou le titulaire du droit à l'allocation qui se marient, concluent un Pacs ou vivent en concubinage, perdent le bénéfice de cette prestation.

### *... ainsi que l'allocation de veuvage,*

La conclusion d'un Pacs — comme celle d'un nouveau mariage ou la vie en concubinage —, fait perdre au conjoint survivant le bénéfice de l'allocation de veuvage.

■ Cette allocation est versée, sous certaines conditions, au conjoint survivant d'un assuré affilié au régime général de l'assurance vieillesse au cours d'une période de référence, ou qui bénéficiait, en application de dispositions spécifiques du Code de la sécurité sociale, des prestations en nature de l'assurance maladie, ou qui percevait l'allocation aux adultes handicapés.

*... sans ouvrir droit à l'octroi de prestation équivalentes (allocation de veuvage, pension de veuve et de veuf ou pension de réversion)*

Si la conclusion d'un Pacs a une incidence sur la suppression de l'allocation de veuvage, elle ne crée aucun droit à l'attribution d'une prestation équivalente en cas de décès du partenaire répondant aux mêmes critères que ceux du conjoint décédé : allocation de veuvage, pension de veuve et de veuf ou pension de réversion.

55

# X. La fiscalité

L'imposition commune constitue une conséquence impérative de la conclusion d'un Pacs. Le pacte ne peut y déroger.

## IMPÔT SUR LE REVENU : LES PARTENAIRES FONT L'OBJET D'UNE IMPOSITION COMMUNE

Les partenaires liés par un Pacs font l'objet, pour le calcul de l'impôt sur le revenu, d'une imposition commune, à compter de l'imposition des revenus de l'année du **troisième anniversaire de l'enregistrement du pacte**.

■ Le troisième anniversaire de l'enregistrement d'un Pacs déclaré le 14 février 2000 aura lieu le 14 février 2003. Les partenaires liés par ce Pacs feront l'objet d'une imposition commune sur les revenus de l'an 2003, déclarés en 2004.

L'imposition sera établie à leurs deux noms, séparés par le mot « ou ».

■ Les partenaires d'un Pacs sont assimilés aux époux, qui étaient, jusqu'à l'entrée en vigueur de la loi sur le Pacs, les seules personnes faisant l'objet d'une imposition commune au titre de l'impôt sur le revenu.

L'économie d'impôt susceptible de résulter de l'attribution de deux parts pour l'application du quotient familial dépendra donc, comme pour les couples mariés, de la disparité des revenus existant entre les deux partenaires. Elle sera nulle lorsque les deux partenaires ont des revenus faibles ou équivalents.

Les règles d'imposition et d'assiette et celles concernant la souscription des déclarations et le contrôle de l'impôt s'appliquent à ces mêmes partenaires.

■ Les partenaires sont donc soumis à une imposition commune pour les revenus perçus par chacun d'eux, leurs enfants et les personnes à charge.

### Qu'arrive-t-il si, par la suite, les partenaires se marient ?

En cas de mariage des deux partenaires entre eux, et par dérogation à la règle de l'imposition séparée de chacun des époux pour les revenus dont il a disposé pendant l'année de son mariage jusqu'à la date de celui-ci, les partenaires restent soumis à la règle de l'imposition commune sur l'ensemble de leurs revenus de l'année.

### Et en cas de décès ?

Le Pacs est dissout par le décès de l'un des partenaires.

Si l'imposition commune était applicable aux partenaires, le partenaire survivant sera personnellement imposable pour la période postérieure au décès.

Deux déclarations devront donc être souscrites pour les revenus de l'année du décès : une déclaration des revenus perçus par les deux partenaires jusqu'à la date du décès, et une déclaration des revenus perçus par le partenaire survivant entre la date du décès et le 31 décembre de l'année considérée.

### Et en cas de rupture ?

Chacun des partenaires est personnellement imposable pour les revenus qu'il a perçus dans l'année au cours de laquelle le Pacs a pris fin.

## Impôts locaux

Les règles de liquidation et de paiement des impôts directs locaux s'appliquent aux partenaires qui font l'objet d'une imposition commune, tout comme les règles d'imposition et d'assiette et celles concernant la souscription des déclarations et le contrôle de ces impôts.

## Impôt sur la fortune (ISF) : imposition commune

L'imposition commune au titre de cet impôt devrait être applicable dès la première année de signature d'un Pacs puisque le législateur n'a pas repris, à cet article, le délai de trois ans applicable en matière d'impôt sur le revenu.

Les partenaires redevables de cet impôt devront souscrire au plus tard le 15 juin de chaque année une déclaration de leur fortune signée par chacun d'eux. Ils sont, dès lors, solidaires pour le paiement de cet impôt.

■ Les personnes engagées dans les liens d'un Pacs se retrouvent ici dans la même situation que les époux et les concubins notoires.

## Le régime fiscal des libéralités consenties entre partenaires est plus favorable que celui des concubins

Le taux de droits de mutation pour la fraction de part nette taxable n'excédant pas 100 000 francs est fixé à 40 % et à 50 % pour le surplus.

Ce taux ne s'applique qu'aux donations faites, au plus tôt, deux ans après la déclaration de Pacs. Cette condition de délai ne s'applique pas aux legs.

■ Un Pacs ne doit pas être conclu dans le seul but de bénéficier d'une taxation réduite.

Les partenaires engagés dans les liens d'un Pacs sont soumis à une taxation au titre des droits de mutation à titre gratuit (legs et donations) bien moins favorable que celle des époux.

| Droits de mutation appliqués aux époux | |
|---|---|
| Fraction de part nette taxable | Taux |
| < 50 000 F | 5 % |
| De 50 000 F à 100 000 F | 10 % |
| De 100 000 F à 200 000 F | 15 % |
| De 200 000 F à 3 400 000 F | 20 % |
| De 3 400 000 F à 5 600 000 F | 30 % |
| De 5 600 000 F à 11 200 000 F | 35 % |
| Au-delà de 11 200 000 F | 40 % |

En revanche, la situation des concubins est nettement moins favorable que celle des personnes liées par un Pacs puisqu'un taux de 60 % leur est appliqué sans distinction en fonction du montant de la fraction de part nette taxable.

La loi sur le Pacs étend aux partenaires liés par un Pacs le bénéfice de la réduction d'impôt en faveur des héritiers, donataires ou légataires ayant trois enfants ou plus au jour de la donation ou de l'ouverture des droits à la succession.

■ Même si le texte ne reprend pas expressément la condition du délai de deux ans pour l'application de la réduction d'impôt, cette condition s'applique compte tenu de la référence que comporte l'article 780 du Code général des impôts à son article 777.

Par conséquent, les partenaires légataires bénéficieront de cette disposition dès l'ouverture de leurs droits à la succession, alors que les partenaires donataires n'y auront droit que s'ils bénéficient déjà du taux de 40 ou 50%.

### Les abattements

Un abattement de 300 000 francs pour la perception des droits de mutation à titre gratuit est introduit par loi sur la part du partenaire lié au donateur ou au testateur par un Pacs. Cet abattement est porté à 375 000 francs pour les mutations à titre gratuit entre vifs consenties par actes passés à compter du 1er janvier 2000 et pour les successions ouvertes à compter de cette date.

■ Cette faveur ne s'applique qu'aux donations consenties au moins deux ans après l'enregistrement du Pacs.

Le partenaire légataire bénéficiera de cet abattement dès l'ouverture de ses droits à la succession sans condition de délai entre la date d'enregistrement du Pacs et celle de l'ouverture de la succession.

Le fait générateur des droits de l'héritier ou du légataire est l'ouverture de la succession. Par conséquent, les personnes ayant bénéficié de la part de leur futur partenaire de dispositions testamentaires avant l'enregistrement du Pacs pourront se prévaloir des abattements fiscaux dès lors que le décès du légataire sera intervenu après leur engagement dans les liens d'un Pacs.

■ Les simples concubins ne disposent d'aucun abattement sur les droits de mutation grevant les libéralités qu'ils se consentent mutuellement. La conclusion d'un Pacs présente ici un intérêt considérable.

Enfin, les partenaires bénéficiaires de libéralités soumises à droit de mutation doivent, conformément aux prescriptions de droit commun prévues en la matière, souscrire une déclaration sur une formule fournie gratuitement par l'administration.

■ Deux personnes font une déclaration de Pacs le **2 février 2000**. Le **13 mai 2001**, l'une d'elle fait donation de 100 000 F à son partenaire.
Cette donation étant faite moins de deux ans après la conclusion du Pacs, des droits de mutation de 60% sont dus par le donataire. Une réduction de 25 % est applicable si le donateur est âgé de moins de 65 ans, et de 15 % s'il a 65 ans révolus et moins de 75 ans.
Si cette donation était consentie après le 2 février 2002, elle ne donnerait pas lieu à taxation puisque sa valeur est inférieure à 375 000 F.
Le **16 novembre 2001**, un des partenaires décède après avoir légué à l'autre une somme de 500 000 F.
Après application de l'abattement de 375 000 F, le légataire devra s'acquitter des droits suivants :
– 40 % x 100 000 = 40 000 F
– 50 % x 25 000 = 12 500 F
soit 52 000 F au total.

## *Quelle est la place du partenaire dans la succession ?*

Hormis l'abattement applicable aux legs entre partenaires, le Pacs reste sans effet sur les successions.

En l'absence de dispositions testamentaires en faveur du survivant, ce dernier ne peut faire valoir aucun droit à l'égard de la succession de son partenaire prédécédé.

Les legs éventuellement consentis par testament ne sont valables que dans la mesure où ils ne dépassent pas la quotité disponible. Cette quotité correspond à la part qui excède celle que la loi réserve à certains héritiers dans une succession.

La validité des donations dépend également du respect de la part des héritiers réservataires.

■ Par exemple, si un partenaire laisse pour héritier un seul enfant, il peut transmettre à son partenaire, par legs ou donation, la moitié de ses biens.

S'il laisse pour héritiers deux enfants, il ne peut léguer à son partenaire qu'un tiers de ses biens, et qu'un quart s'il laisse trois enfants ou plus.

S'il n'a pas d'enfant mais qu'il laisse pour héritiers un ou plusieurs ascendants dans chacune des lignées, paternelle et maternelle, il peut transmettre à son partenaire la moitié de ses biens, voire les trois quarts s'il ne laisse des ascendants que dans une ligne.

Dans l'hypothèse où un partenaire n'a ni descendant ni ascendant, il peut faire don ou léguer à son partenaire la totalité de ses biens.

Un testament est nécessaire pour transmettre à son partenaire des droits sur la succession ou pour l'instituer comme légataire universel.

■ À l'exception de l'abattement fiscal prévu en faveur du partenaire bénéficiant d'un legs, ce dernier se trouve, en matière de droits successoraux, dans la même situation qu'un concubin ou qu'un parfait étranger. Les droits successoraux du conjoint étranger varient en fonction de l'existence éventuelle de descendants, ascendants, frères et sœurs, neveux ou nièces du conjoint décédé. En tout état de cause, le conjoint survivant dispose au moins d'une part réservataire, égale à un droit d'usufruit du quart, sur la succession du prédécédé.

# XI. Nationalité et titre de séjour

*La conclusion d'un Pacs peut-elle faciliter le séjour du partenaire étranger en France ?*

Dans une certaine mesure, oui. En effet, sauf si leur présence constitue une menace pour l'ordre public, une carte de séjour d'un an, portant la mention « vie privée et familiale » est délivrée de plein droit à certaines catégories d'étrangers définies à l'article 12 bis de l'ordonnance n¡ 45-2658 du 2 novembre 1945, relative aux conditions d'entrée et de séjour des étrangers en France.

Le 7ᵉ alinéa de cet article ouvre ce droit « à l'étranger ne vivant pas en état de polygamie (...) dont les liens personnels et familiaux en France sont tels que le refus d'autoriser son séjour porterait à son droit au respect de sa vie privée et familiale une atteinte disproportionnée au regard des motifs du refus ».

La délivrance de la carte de séjour emporte autorisation de travailler.

La conclusion d'un Pacs constitue l'un des éléments d'appréciation des liens personnels en France, au sens de cet article. Mais elle n'emporte pas nécessairement délivrance d'une carte de séjour.

## Une circulaire du ministre de l'Intérieur a pris en compte le Pacs

Une circulaire du ministre de l'Intérieur en date du 10 décembre 1999 précise les modalités d'application des nouvelles dispositions relatives au Pacs. Cette circulaire reprend certaines des exigences applicables au concubin étranger candidat à la délivrance d'une carte de séjour, à savoir « la justification du caractère notoire et relativement ancien de la relation de couple en France » ainsi que l'impossibilité de poursuivre cette relation à l'étranger.

■ L'administration prend déjà en considération le concubinage pour apprécier l'existence de liens personnels en France, à condition que la vie commune dure depuis plus de cinq ans, et qu'un enfant au moins soit issu de cette union, à l'égard duquel le demandeur exerce l'autorité parentale.

L'engagement du partenaire étranger dans les liens d'un Pacs lui confère un avantage par rapport au simple concubin sauf si les deux partenaires sont étrangers et liés par un Pacs depuis moins de trois ans.

La circulaire du 10 décembre 1999 distingue trois situations.
• **Le Pacs est conclu entre un français et un étranger.**
Le partenaire étranger peut présenter sa demande de titre de séjour dès l'enregistrement du Pacs. à titre indicatif, la circulaire propose de considérer qu'il justifie de la stabilité du lien personnel ouvrant droit à la délivrance d'une carte de séjour d'un an en rapportant la preuve d'une durée de vie commune de trois ans avec son partenaire français, en France, avant la conclusion du Pacs.

■ En dépit de cette exigence, l'étranger qui a vécu, pendant au moins trois ans, avec un français à l'étranger, devrait bénéficier d'un titre de séjour, la loi prévoyant la possibilité de conclure un Pacs avec un français, à l'étranger.

L'étranger qui ne peut pas prouver l'ancienneté de sa relation peut néanmoins prétendre, s'il bénéficie d'un visa de long séjour, à un titre de séjour portant la mention « visiteur ».

• **Le Pacs est conclu entre un étranger et un ressortissant de l'Union européenne.**

Le partenaire étranger bénéficie des mêmes droits que celui qui a conclu un Pacs avec un français, en vertu du principe de l 'égalité de traitement.

L'étranger ressortissant d'un État de l'Union européenne qui conclut un Pacs avec un français ou un étranger en situation régulière sur le territoire français se verra délivrer une carte CEE « non-actif » de 5 ans s'il ne peut se prévaloir d'un droit au séjour en application du droit communautaire.

• **Le Pacs est conclu entre deux étrangers.**

Sous réserve que son partenaire soit en situation régulière en France, cet étranger peut obtenir une carte de séjour sur le fondement de la stabilité de ses liens personnels en France s'il rapporte la preuve d'un « concubinage effectif d'une certaine durée, qui ne devrait être qu'exceptionnellement inférieure à 5 ans », ou si le Pacs a été conclu depuis au moins 3 ans.

Enfin, la circulaire exclut du bénéfice du dispositif aboutissant à la délivrance d'une carte de séjour « vie privée en familiale », l'étranger qui a conclu un Pacs avec un autre étranger résidant en France sous couvert d'**un titre « étudiant »**.

*Quelles sont les conséquences possibles sur les droits des partenaires étrangers ?*

S'agissant de la protection contre les mesures d'éloignement forcé du territoire ou des règles d'acquisition de la nationalité française, le concubin étranger ou l'étranger engagé dans les liens d'un Pacs ne disposent pas des droits reconnus au conjoint.

■ Le conjoint étranger d'un français peut se faire délivrer une carte de résident de dix ans ou acquérir la nationalité française par simple déclaration au greffe du tribunal d'instance du lieu de domicile, un an après le mariage, droits qui sont refusés aux personnes vivant en concubinage ou à celles qui sont unies par un Pacs.

Un partenaire ne sera pas non plus, comme le conjoint étranger, protégé contre les mesures d'éloignement du territoire (reconduite à la frontière ou expulsion).

## *Le Pacs n'a pas d'incidence sur le droit au regroupement familial*

Le ressortissant étranger séjournant régulièrement en France peut, sous certaines conditions, se faire rejoindre, au titre du regroupement familial, par son conjoint et les enfants du couple ou de l'un des époux, âgés de moins de 18 ans.

Ce droit n'est pas reconnu au concubin, au partenaire lié à l'étranger par un Pacs, ou aux enfants mineurs de l'un ou de l'autre.

# XII. La rupture du Pacs

Les partenaires peuvent décider, d'un commun accord ou individuellement, de mettre fin au Pacs.
Le Pacs prend fin, également, par le mariage, le placement sous tutelle ou le décès de l'un des partenaires.

■ En l'absence de dispositions spécifiques de la loi sur le Pacs, la fin du Pacs, qui est un contrat, pourrait aussi être judiciairement décidée en application du droit commun des contrats.

*Peut-on prévoir d'autres causes de rupture dans son pacte ?*

Une clause expresse de résiliation du Pacs en cas de survenance d'un événement déterminé devrait être valable entre les partenaires.

■ Par exemple, manquer à son obligation contractuelle de fidélité.

Tant que la fin du pacte n'aura pas fait l'objet des formalités prévues par la loi, la résiliation demeurera inopposable aux tiers.

*Peut-on restreindre, dans le pacte, sa liberté de le rompre ?*

Les dispositions de la loi relatives à la fin du Pacs sont impératives. Les partenaires ne peuvent y déroger par une clause contraire stipulée dans leur pacte.

■ Par exemple, la clause du pacte qui prévoit le paiement d'indemnités en cas d'exercice du droit à la rupture par décision unilatérale ou par mariage serait nulle.

Mais il semble possible, en revanche, d'organiser les conséquences d'une rupture — qu'elle soit voulue par les deux partenaires ou par l'un d'entre eux seulement —, à condition que cela ne retire pas aux partenaires, en droit comme en fait, leur liberté de rompre.

■ Exemples de clauses de rupture : « En cas de rupture non fautive, le partenaire qui disposera des revenus salariés les plus importants s'engage à verser à l'autre, pendant une durée de six mois à compter de la date d'effet de la rupture, une aide financière qui serait au moins égale à 10 % de ses revenus mensuels nets appréciés au jour de la date d'effet de la rupture ».
« Le partenaire qui aura été à l'origine d'une rupture fautive du pacte accepte, par avance, la révocation unilatérale des donations qui lui auront été consenties par son partenaire pendant la durée de vie dudit pacte. »

*Doit-on motiver sa décision unilatérale de rompre ?*

Non, la décision n'a pas à être motivée, sous réserve du droit de chacun des partenaires de demander réparation du dommage éventuellement subi.

## QUELLE EST LA PROCÉDURE À SUIVRE ?

Tout dépend de la cause de la rupture.

*Les deux partenaires décident conjointement de rompre*

Ils doivent remettre une déclaration conjointe écrite au greffe du tribunal d'instance du lieu de leur résidence commune ou du lieu de résidence de l'un d'entre eux.

Le greffier procède à l'enregistrement de cette déclaration et en assure la conservation.

Le Pacs prend fin dès que le greffier (ou l'agent diplomatique ou consulaire à l'étranger) porte la mention de cette déclaration en marge de l'acte initial.

### *Un des partenaires décide seul de rompre*

Comme tout contrat à durée indéterminée, le Pacs peut prendre fin par décision unilatérale de l'un des partenaires. Celui qui en prend l'initiative doit signifier sa décision à son partenaire par voie d'huissier.

Parallèlement, l'huissier doit adresser sans délai, au nom du partenaire qui rompt, une copie des actes signifiés au greffe du tribunal d'instance qui a reçu la déclaration initiale du pacte, par lettre recommandée avec accusé de réception.

**Le Pacs ne prend fin que trois mois après la date de signification** de la décision à l'autre partenaire, sous réserve qu'une copie de cette signification ait été adressée au greffier du tribunal d'instance ayant reçu l'acte initial.

■ Ne pas adresser la copie de la signification au greffe rend la rupture inopposable aux tiers, et le partenaire qui souhaitait retrouver sa liberté reste tenu aux obligations qu'il a souscrites dans son pacte, la fin du Pacs dépendant de l'accomplissement de cette formalité. Le pacte continuera à s'exécuter tant que la signification de la rupture n'aura pas été portée à la connaissance du greffe compétent.

### *L'un des partenaires ou les deux partenaires se marient*

Le Pacs prend fin, de manière implicite, par le mariage de l'un des partenaires et, *a fortiori*, des deux partenaires entre eux.

Le partenaire qui se marie avec un tiers doit en informer son partenaire par voie d'huissier, et adresser copie de la signification et de l'acte de naissance portant mention du mariage au greffe du tribunal d'instance qui a enregistré le Pacs.

 ■ Cette signification du mariage à l'autre partenaire vise à l'informer et à s'exonérer de toute responsabilité qui pourrait être encourue du fait d'un défaut d'avertissement. Quant à l'information du greffe compétent, elle permettra d'éviter la délivrance indue d'attestations d'engagement dans les liens d'un Pacs.

Mais l'opposabilité de la rupture du Pacs aux tiers ne devrait pas dépendre de l'accomplissement de ces formalités puisque le mariage fait l'objet d'une publicité.

## Un des partenaires décède

Le décès d'un des partenaires dissout le Pacs.

Le partenaire survivant ou toute personne intéressée doit adresser au greffe du tribunal d'instance qui a reçu l'acte initial copie de l'acte de décès.

## Un des partenaire est placé sous tutelle

La loi interdit la conclusion d'un Pacs par une personne placée sous tutelle.

Mais cette mesure de protection peut aussi être prise à l'encontre d'une personne engagée dans les liens d'un Pacs.

Dans ce cas, il peut être mis fin au Pacs :

– soit à l'initiative unilatérale du tuteur autorisé par le conseil de famille ou par le juge des tutelles ; l'auteur de la décision la signifie par voie d'huissier au partenaire de la personne placée sous tutelle et adresse une copie de cette signification au greffe du tribunal d'instance qui a reçu l'acte initial ;

– soit conjointement, par le tuteur autorisé par le conseil de famille ou le juge des tutelles et le partenaire du majeur protégé ; la déclaration conjointe écrite est remise au greffe du tribunal d'instance du lieu de la résidence commune ou du lieu de résidence de l'un des partenaires ;

– soit par déclaration unilatérale de l'autre partenaire, signifiée au tuteur ; une copie de cette signification est adressée au greffe du tribunal d'instance qui a reçu l'acte initial.

## *Un jugement résilie le pacte*

En application des règles du Code civil relatives aux contrats, le juge judiciaire peut mettre fin au pacte.

■ La résiliation sanctionne l'inexécution d'une obligation par l'un des partenaires. Elle met fin au contrat pour l'avenir.

La date de prise d'effet de la fin du Pacs coïncide, dans cette hypothèse, avec celle à laquelle le jugement devient exécutoire.

■ L'information des tiers sera ici moins bien assurée que dans les cas de dissolution de Pacs expressément prévus par la loi puisque le jugement, comme tout jugement, leur est opposable.

## *Le pacte est annulé*

L'annulation du pacte sanctionne la méconnaissance d'une disposition impérative de la loi sur le Pacs ou de la loi en général régissant les conditions de formation du contrat.

Elle est rétroactive, et entraîne des restitutions entre les partenaires et à l'égard des tiers.

Si la nullité encourue est une **nullité absolue**, toute partie intéressée peut saisir le juge d'une demande à cette fin.

■ Le Pacs conclu par une personne mariée peut, par exemple, être annulé à la demande de son conjoint.

Le juge saisi de toute demande relative à l'exécution du pacte peut la relever d'office.

■ Les règles applicables au contrat en général n'autorisent pas le ministère public à prendre l'initiative d'une action en nullité. Seule la transposition des règles relatives au mariage autoriserait le procureur de la République à agir en nullité d'un Pacs.

En cas de **nullité relative**, seule la partie que la loi a entendu protéger peut s'en prévaloir.

■ Le Pacs a, par exemple, été conclu en dépit du placement sous tutelle de l'une des partenaires.

## QUELS SONT LES EFFETS DE LA DISSOLUTION DU PACS ?

### *Elle entraîne la liquidation du patrimoine commun*

La constitution d'un patrimoine commun pendant la durée de vie du pacte rend nécessaire sa liquidation.

Elle est, en principe, effectuée par les partenaires eux-mêmes. Les modalités de cette liquidation peuvent avoir été organisées dans le pacte lui- même. Dans le cas contraire, ou en cas de divergence d'interprétation sur ce qui a été convenu, l'un des partenaires, les deux conjointement et, dans certains cas, toute personne intéressée, saisiront le juge du contrat.

■ Ce recours peut également s'avérer nécessaire en cas de dissolution du Pacs du fait du décès de l'un ou des partenaires ou d'un placement sous tutelle.

Si le pacte n'a rien prévu et si les biens des partenaires étaient soumis au régime de l'indivision, le tribunal de grande instance ordonnera leur partage.

Le juge privilégiera la constitution de lots homogènes et l'attribution préférentielle des biens indivis, à l'exception des exploitations agricoles et des quotes-parts indivises ou parts sociales d'une telle exploitation.

Si les partenaires ont exclu l'application du régime de l'indivision sans prévoir de modalités de liquidation de leurs biens, le juge aura recours, comme il le fait à l'égard des concubins, aux mécanismes de l'enrichissement sans cause et de la société créée de fait.

■ Les partenaires ont donc tout intérêt à organiser par avance dans leur pacte la liquidation de leurs biens pour éviter de se retrouver, en cas de désaccord consécutif à la fin du Pacs, dans un cadre juridique moins bien défini que les époux soumis à l'application d'un régime matrimonial.

*Le partenaire délaissé peut-il obtenir des dommages-intérêts ?*

Le partenaire auquel la rupture unilatérale a été imposée peut en subir un préjudice. La loi lui a réservé la possibilité d'en demander réparation.

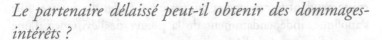

Le Conseil constitutionnel a précisé que « toute clause du pacte interdisant l'exercice de ce droit devra être réputée non écrite ».

 ■ Le même sort devrait être réservé aux clauses prévoyant des pénalités en cas de rupture unilatérale dans la mesure où ces pénalités, par leur montant, ont pour effet de priver les partenaires du droit qui leur est reconnu de mettre fin au pacte.

Le préjudice ne pourra toutefois résulter du fait de la rupture unilatérale en lui-même puisque cette modalité de fin du Pacs est prévue par la loi, qui n'impose aucune justification. Le dommage réparable résultera, notamment, d'une faute se rattachant aux conditions dans lesquelles la rupture est intervenue.

■ Par exemple, la rupture est intervenue dans des conditions vexatoires où il y a eu expulsion du partenaire du logement commun comme occupant sans droit ni titre.

■ L'époux divorcé aux torts exclusifs de son conjoint peut obtenir des dommages-intérêts en réparation du préjudice matériel ou moral qui résulte du divorce. Le droit du divorce prévoit aussi l'octroi d'une prestation compensatoire destinée à compenser la disparité que la rupture du mariage crée dans les conditions de vie respectives. Cette règle est le pendant du devoir de secours qui existe pendant le mariage et qui cesse par l'effet du divorce. Elle s'applique, indépendamment de la preuve de l'existence d'une faute, à l'encontre de l'époux qui va payer.
Bien que le devoir d'aide matérielle auquel sont soumis les partenaires liés par un Pacs s'apparente à ce devoir de secours, la loi n'a pas prévu, à leur profit, de droit équivalent.

Les tribunaux admettent le droit du concubin à demander réparation du préjudice subi consécutivement à une rupture intervenue dans des circonstances fautives. Ils reconnaissent également l'existence d'une obligation naturelle en vertu de laquelle l'auteur de la rupture peut être condamné à verser une indemnité à son concubin.

La conclusion d'un Pacs ne confère pas plus de droits à réparation, lors de sa rupture, qu'une union libre stable et continue.

## *Peut-on librement conclure un nouveau Pacs ?*

Une même personne peut souscrire successivement un nombre illimité de Pacs.

La loi n'impose aucun délai entre la fin d'un Pacs et la conclusion d'un autre.

■ Si la loi ne limite pas non plus le nombre des mariages pouvant être contractés successivement, elle impose, en principe, à la femme divorcée d'observer un délai de trois cents jours avant de contracter un nouveau mariage.

# XIII. Le juge des différends

En l'absence de dispositions spécifiques de la loi sur le Pacs déterminant le juge compétent pour connaître des litiges susceptibles de naître entre les partenaires pendant l'exécution ou à la fin du pacte, les règles du droit commun s'appliquent.

## *Le juge territorialement compétent*

Le demandeur devra saisir, à son choix soit la juridiction du lieu où demeure le défendeur, soit celle du lieu d'exécution du pacte (en principe, le tribunal du lieu de résidence commune), soit celle du lieu du fait dommageable ou du lieu où le dommage s'est produit en cas de rupture unilatérale fautive (en principe, le tribunal du lieu de résidence commune), soit, si le différend porte sur un immeuble, la juridiction du lieu où il se trouve, soit, en matière d'aliments ou d'action faisant valoir le droit à une aide matérielle, la juridiction du lieu où demeure le créancier.

## *Le partenaire qui poursuit son partenaire au titre de l'aide matérielle peut-il l'assigner devant le tribunal de son propre domicile ?*

La loi n'a pas étendu aux partenaires d'un Pacs le droit prévu pour l'époux marié demandeur à une action de contribution aux charges du mariage, de choisir entre la juridiction du lieu où demeure le défendeur et celle du lieu où il demeure lui-même. Le tribunal territorialement compétent devrait être, par conséquent, en cas de domiciles distincts, celui du lieu où demeure le partenaire défendeur.

## LA COMPÉTENCE DU JUGE DÉPEND DU DIFFÉREND À TRANCHER

La détermination de la juridiction matériellement compétente dépendra de la nature et du montant du litige.

### La demande concerne le partage des biens

Si la demande du ou des partenaires tend au partage des biens soumis au régime de l'indivision, ils devront saisir le tribunal de grande instance d'une action en compte, liquidation, partage, quel que soit le montant du litige.

Si les biens des partenaires échappent au régime de l'indivision mais que la demande porte sur un droit réel immobilier, le tribunal de grande instance sera également compétent.

Lorsque les partenaires ont conventionnellement soustrait leurs biens au régime de l'indivision, l'action personnelle ou mobilière relative à la liquidation des droits patrimoniaux sera portée devant le tribunal de grande instance si la valeur excède la somme de 50 000 francs, et devant le tribunal d'instance si la valeur est inférieure.

Il en va de même, bien que le régime de l'indivision soit applicable aux biens des partenaires, lorsque leur demande tend au paiement de dommages-intérêts à la suite de la rupture du Pacs.

 ■ Seule la procédure devant le tribunal d'instance peut être engagée et suivie par les partenaires eux-mêmes. L'assistance d'un avocat est en revanche obligatoire devant le tribunal de grande instance.

### La demande concerne les enfants

À l'instar des concubins ou des époux, les partenaires doivent pouvoir saisir le juge aux affaires familiales des difficultés qui concernent leurs enfants communs.

### La demande concerne les devoirs des partenaires l'un envers l'autre

Les litiges entre partenaires qui concernent l'exécution des obligations résultant du Pacs sont portés devant le tribunal d'instance ou le tribunal de grande instance selon que la demande est inférieure ou supérieure à 50 000 francs.

Un litige entre partenaires liés par un Pacs et par un contrat de travail (cas du salarié uni par un Pacs à son employeur chef d'entreprise) qui se rapporterait à l'exécution de cette deuxième convention sera de la compétence des juridictions prud'homales.

### Peut-on prévoir des clauses attributives de compétence dans le pacte ?

Non. Les partenaires engagés dans les liens d'un Pacs ne peuvent déroger aux règles de compétence territoriale. Toute clause contraire du pacte serait réputée non écrite.

Une clause du pacte qui soumettrait à l'arbitrage les litiges qui pourraient naître à l'occasion de son exécution serait nulle.

Les partenaires peuvent seulement déroger aux règles de compétence d'attribution fixées en raison du montant de la demande ou renoncer à l'exercice de l'appel, une fois le litige né.

■ Par exemple, une clause du pacte serait nulle si elle prévoyait, avant tout litige, d'attribuer la compétence pour en connaître au tribunal d'instance alors que le tribunal de grande instance serait normalement compétent en raison du montant de la demande, ou inversement.

Toute clause de renonciation à l'exercice des voies de recours avant la naissance du litige serait également nulle.
Le pacte ne peut non plus attribuer compétence au Juge aux Affaires Familiales.

■ Par conséquent, le pacte ne peut contenir de clause attributive de compétence dérogatoire au droit commun.

# Modèles de Pacs et clauses types

- Pacte conclu en application des dispositions de la loi sans clause dérogatoire ou spécifique.

- Pacte conclu entre deux partenaires désirant s'engager au-delà du régime instauré par la loi.

- Pacte conclu entre deux partenaires qui souhaitent limiter leurs engagements réciproques.

- Exemple d'inventaire annexé à la convention de Pacs ou à une déclaration modificative.

- Clauses types pouvant être insérées dans le pacte.

# Pacte conclu en application des dispositions de la loi sans clause dérogatoire ou spécifique

Monsieur (ou Madame) ................,
né(e) le ................,
à ................,
de nationalité ................,
d'une part,

et
Monsieur (ou Madame) ................,
né(e) le ................,
à ................,
de nationalité ................,
d'autre part,

Décident par le présent pacte de souscrire un Pacte civil de solidarité soumis aux dispositions de la loi n° 99-944 du 15 novembre 1999.

Ils (Elles) déclarent fixer leur résidence commune à l'adresse suivante : ................,

Fait en deux exemplaires à ................,
Le ................,

Signature des deux partenaires

# Pacte conclu entre deux partenaires désirant s'engager au-delà du régime instauré par la loi [1]

Monsieur (ou Madame) ...............,
né(e) le ...............,
à ...............,
de nationalité ...............,
d'une part,

et

Monsieur (ou Madame) ...............,
né(e) le ...............,
à ...............,
de nationalité ...............,
d'autre part,

Décident par le présent pacte de souscrire un Pacte civil de solidarité soumis aux dispositions de la loi n° 99-944 du 15 novembre 1999.

Ils (Elles) déclarent fixer leur résidence commune à l'adresse suivante : ...............,

---

1 Une ou plusieurs des clauses-types reproduites aux pages 92 et suivantes pourront compléter le pacte.

*Article 1- Obligations des partenaires entre eux*

Les partenaires s'engagent à s'assurer une assistance mutuelle constante.

Ils conviennent d'une fidélité réciproque.

Ils s'engagent à informer leurs employeurs respectifs de la souscription du présent engagement.

Chaque partenaire s'engage à porter à la connaissance de tout tiers cocontractant l'existence du présent pacte.

*Article 2- Régime des biens*

Les biens meubles acquis par chaque partenaire antérieurement à la conclusion du présent pacte seront indivis par moitié à compter de l'enregistrement du pacte.

À compter de la souscription du présent pacte, le produit des valeurs mobilières et les dividendes perçus sur les parts sociales acquises par chaque partenaire avant la conclusion du dudit pacte seront versés sur un compte joint ouvert au nom des deux partenaires.

Les biens que l'une ou l'autre partie recevra par donation à compter du présent pacte seront la propriété indivise, par moitié, des deux partenaires.

Fait en deux exemplaires à ...............,
Le ...............,
Signature des deux partenaires

# Pacte conclu entre deux partenaires qui souhaitent limiter leurs engagements réciproques

Monsieur (ou Madame) ..............,
né(e) le ..............,
à ..............,
de nationalité ..............,
d'une part,

et

Monsieur (ou Madame) ..............,
né(e) le ..............,
à ..............,
de nationalité ..............,
d'autre part,

Décident par le présent pacte de souscrire un Pacte civil de solidarité soumis aux dispositions de la loi n° 99-944 du 15 novembre 1999.

Ils (Elles) déclarent fixer leur résidence commune à l'adresse suivante : ..............,

Chaque partenaire demeurera seul propriétaire des biens acquis avant l'enregistrement du présent pacte figurant sur l'inventaire annexé au présent pacte.

Les meubles meublants acquis par chaque partenaire postérieurement à la conclusion du présent pacte demeureront sa propriété exclusive.

Fait en deux exemplaires à ...............,
Le ...............,
Signature des deux partenaires

---

2  Dresser la liste des biens meubles, y compris les valeurs mobilières ou parts sociales, fonds de commerce, etc.

## Exemple d'inventaire annexé à la convention de Pacs ou à une déclaration modificative

Monsieur X déclare être propriétaire des biens suivants [2]:
– une automobile : marque ..............., modèle ...............,
année ............... ;
– un téléviseur de marque ............... ;
– un canapé convertible 3 places de la marque ............... ;
– un ordinateur PC de marque ..............., ainsi que son
imprimante de la marque ............... ;
– etc.

Liste des biens immeubles :

– un appartement situé, ...............................................
.............................................................................
.............................................................................
.............................................................................
.............................................................................

Monsieur Y déclare être propriétaire des biens suivants [3]:
– une automobile : marque ..............., modèle ...............,
année ............... ;

---

2  Dresser la liste des biens meubles, y compris les valeurs mobilières ou parts
sociales, fonds de commerce, etc.

90

– une chaîne HI-FI avec lecteur DVD de marque .............. ;
– etc.

Liste des biens immeubles :
– aucun.

Les parties signataires reconnaissent avoir pris connaissance du présent inventaire.

Fait en deux exemplaires à ..............,
Le ..............,
Signature des deux partenaires

## Clauses types pouvant être insérées dans le pacte

*Clause de remboursement des échéances d'un prêt immobilier*

« En cas de rupture du Pacs, Monsieur ................, qui demeurera seul propriétaire du logement commun, remboursera à ................ le montant des échéances de remboursement du prêt immobilier souscrit par Monsieur ................ pour financer l'acquisition de ce logement, acquittées par Monsieur ................

Les parties déduiront de ce montant une somme fixée d'un commun accord entre elles, correspondant à la part de loyer que Monsieur ................ aurait acquitté pendant la durée de vie du Pacs, si le logement commun avait été une location. »

*Clause de biens propres*

« Chaque partenaire demeurera seul propriétaire des biens acquis avant l'enregistrement du présent pacte figurant sur l'inventaire annexé au présent pacte. »

*Clause de propriété des meubles meublants acquis après la conclusion du pacte*

« Les meubles meublants acquis par chaque partenaire postérieurement à la conclusion du présent pacte demeureront sa propriété exclusive. »

*Clause d'information*

« Chaque partenaire s'engage à informer son partenaire de la mention de propriété exclusive portée sur l'acte à l'occasion de d'acquisition d'un bien. »

*Clause de mandat d'administration*

« Madame X donne à Monsieur Y mandat pour la représenter à l'occasion de l'accomplissement de tous les actes d'administration des biens indivis. »

*Clauses organisant une indivision conventionnelle*

Monsieur X et Madame Y décident de soumettre leurs biens indivis aux dispositions des articles 1873-1 et suivants du Code civil.

Cette convention est conclue pour une durée de trois ans.

Elle concerne les biens désignés sur l'inventaire annexé au présent pacte.

La quote-part indivise revenant à Madame Y sur ces biens est fixée aux trois quarts ; celle de Monsieur X est fixée au quart.

S'agissant des immeubles indivis, les parties s'engagent à accomplir conjointement les formalités de publicité foncière le jour de l'enregistrement du présent acte.

Pendant cette période, Madame Y assurera la gestion des biens indivis.

Les partenaires déclarent avoir connaissance que le partage ne peut être provoqué par l'un d'eux avant l'arrivée du terme de la convention d'indivision que s'il justifie d'un juste motif.

À l'issue du délai de trois ans, les parties qui entendent renouveler la convention d'indivision, adresseront au greffe du tribunal d'instance du lieu de leur résidence commune une déclaration conjointe accompagnée des actes modificatifs.

À défaut, leurs biens seront soumis au régime de l'indivision légale, à compter de l'expiration du délai de trois ans.

*Clause de contribution à l'entretien et à l'éducation des enfants*

« En cas de rupture du pacte, chaque partenaire s'engage à verser au partenaire chez qui la résidence principale de l'enfant commun aura été amiablement ou judiciairement fixée, une pension alimentaire mensuelle au moins égale à 15 % de ses revenus mensuels appréciés au jour de la rupture. »

*Clause d'assistance mutuelle*

« Les partenaires s'engagent à s'assurer une assistance quotidienne mutuelle en cas d'accident ou de maladie de l'un d'entre eux. »

93

*Clause d'aide financière en cas de rupture*

« En cas de rupture non fautive, le partenaire qui disposera des revenus personnels les plus importants, s'engage à verser à son ex-compagnon, pendant une durée de six mois à compter de la date d'effet de la rupture, une aide financière qui serait au moins égale à 10 % de ses revenus mensuels nets appréciés au jour de la date d'effet de la rupture. »

*Clause de révocation des donations*

« Le partenaire qui aura été à l'origine d'une rupture fautive du Pacs accepte, par avance, la révocation unilatérale des donations qui lui auront été consenties par son partenaire pendant la durée de vie du Pacs. »

# Glossaire

**Acte authentique** : écrit établi par un notaire. Il fait foi et est susceptible d'exécution forcée.

**Acte sous seing privé** : acte écrit, rédigé par un particulier, comportant la signature manuscrite des parties.

**Attribution préférentielle** : attribution d'un bien indivis à celui des indivisaires qui, en vertu des critères légaux, est jugé le plus apte à le recevoir.

**Bien propre** : bien qui appartient à l'un ou l'autre des partenaires.

**Créancier** : titulaire d'un droit de créance, généralement le droit d'exiger la remise d'une somme d'argent.

**Disposition impérative** : règle que l'on ne peut pas écarter en stipulant une clause contraire.

**Héritier réservataire** : se dit d'un héritier qui bénéficie légalement de tout ou partie des biens du défunt.

**Indivision** : situation juridique née de la concurrence de droits de même nature exercés sur un même bien ou sur une même masse de biens par des personnes différentes, sans qu'il y ait division matérielle de leurs parts.

**Opposable** : se dit d'un acte juridique dont les tiers doivent tenir compte car il est créateur de droits à leur encontre.

**Prédécédé** : qui est décédé le premier.

**Quotité disponible** : portion du patrimoine d'une personne dont elle peut disposer librement par testament ou donation, en présence d'héritiers réservataires.

**Récompenses** : indemnité due, lors de la liquidation de la communauté, par l'époux à cette communauté lorsque, au détriment de celle-ci, son patrimoine personnel s'est enrichi.

**Remploi** : achat d'un bien avec les capitaux provenant de la vente d'un autre bien propre.

**Résiliation** : suppression pour l'avenir d'un contrat.

**Solidarité** : le créancier peut exiger de l'un ou l'autre des partenaires le paiement de la totalité de sa créance.

# Textes

*Code civil (extraits)*

## Titre XII

### Du pacte civil de solidarité et du concubinage

#### Chapitre I

#### Du pacte civil de solidarité

**Article 515-1** Un pacte civil de solidarité est un contrat conclu par deux personnes physiques majeures, de sexe différent ou de même sexe, pour organiser leur vie commune.

**Article 515-2** À peine de nullité, il ne peut y avoir de pacte civil de solidarité :

1° Entre ascendant et descendant en ligne directe, entre alliés en ligne directe et entre collatéraux jusqu'au troisième degré inclus ;

2° Entre deux personnes dont l'une au moins est engagée dans les liens du mariage ;

3° Entre deux personnes dont l'une au moins est déjà liée par un pacte civil de solidarité.

**Article 515-3** Deux personnes qui concluent un pacte civil de solidarité en font la déclaration conjointe au greffe du tribunal d'instance dans le ressort duquel elles fixent leur résidence commune.

À peine d'irrecevabilité, elles produisent au greffier la convention passée entre elles en double original et joignent les pièces d'état civil permettant d'établir la validité de l'acte au regard de l'article 515-2 ainsi qu'un certificat du greffe du tribunal d'instance de leur lieu de naissance ou, en cas de naissance à l'étranger, du greffe du tribunal de grande instance de Paris, attestant qu'elles ne sont pas déjà liées par un pacte civil de solidarité.

Après production de l'ensemble des pièces, le greffier inscrit cette déclaration sur un registre.

Le greffier vise et date les deux exemplaires originaux de la convention et les restitue à chaque partenaire.

Il fait porter mention de la déclaration sur un registre tenu au greffe du tribunal d'instance du lieu de naissance de chaque partenaire ou, en cas de naissance à l'étranger, au greffe du tribunal de grande instance de Paris.

L'inscription sur le registre du lieu de résidence confère date certaine au pacte civil de solidarité et le rend opposable aux tiers.

Toute modification du pacte fait l'objet d'une déclaration conjointe inscrite au greffe du tribunal d'instance qui a reçu l'acte initial, à laquelle est joint, à peine d'irrecevabilité et en double original, l'acte portant modification de la convention. Les formalités prévues au quatrième alinéa sont applicables.

À l'étranger, l'inscription de la déclaration conjointe d'un pacte liant deux partenaires dont l'un au moins est de nationalité française et les formalités prévues aux deuxième et quatrième alinéas sont assurées par les agents diplomatiques et consulaires français ainsi que celles requises en cas de modification du pacte.

**Article 515-4** Les partenaires liés par un pacte civil de solidarité s'apportent une aide mutuelle et matérielle. Les modalités de cette aide sont fixées par le pacte.

Les partenaires sont tenus solidairement à l'égard des tiers des dettes contractées par l'un d'eux pour les besoins de la vie courante et pour les dépenses relatives au logement commun.

**Article 515-5** Les partenaires d'un pacte civil de solidarité indiquent, dans la convention visée au deuxième alinéa de l'article 515-3, s'ils entendent soumettre au régime de l'indivision les meubles meublants dont ils feraient l'acquisition à titre onéreux postérieurement à la conclusion du pacte. A défaut, ces meubles sont présumés indivis par moitié. Il en est de même lorsque la date d'acquisition de ces biens ne peut être établie.

Les autres biens dont les partenaires deviennent propriétaires à titre onéreux postérieurement à la conclusion du pacte sont présumés indivis par moitié si l'acte d'acquisition ou de souscription n'en dispose autrement.

**Article 515-6** Les dispositions de l'article 832 sont applicables entre partenaires d'un pacte civil de solidarité en cas de dissolution de celui-ci, à l'exception de celles relatives à tout ou partie d'une exploitation agricole, ainsi qu'à une quote-part indivise ou aux parts sociales de cette exploitation.

**Article 515-7** Lorsque les partenaires décident d'un commun accord de mettre fin au pacte civil de solidarité, ils remettent une déclaration conjointe écrite au greffe du tribunal d'instance dans le ressort duquel l'un d'entre eux au moins a sa résidence. Le greffier inscrit cette déclaration sur un registre et en assure la conservation.

Lorsque l'un des partenaires décide de mettre fin au pacte civil de solidarité, il signifie à l'autre sa décision et adresse copie de cette signification au greffe du tribunal d'instance qui a reçu l'acte initial.

Lorsque l'un des partenaires met fin au pacte civil de solidarité en se mariant, il en informe l'autre par voie de signification et adresse copies de celle-ci et de son acte de naissance, sur lequel est portée mention du mariage, au greffe du tribunal d'instance qui a reçu l'acte initial.

Lorsque le pacte civil de solidarité prend fin par le décès de l'un au moins des partenaires, le survivant ou tout intéressé adresse copie de l'acte de décès au greffe du tribunal d'instance qui a reçu l'acte initial.

Le greffier, qui reçoit la déclaration ou les actes prévus aux alinéas précédents, porte ou fait porter mention de la fin du pacte en marge de l'acte initial. Il fait également procéder à l'inscription de cette mention en marge du registre prévu au cinquième alinéa de l'article 515-3.

À l'étranger, la réception, l'inscription et la conservation de la déclaration ou des actes prévus aux quatre premiers alinéas sont assurées par les agents diplomatiques et consulaires français, qui procèdent ou font procéder également aux mentions prévues à l'alinéa précédent.

Le pacte civil de solidarité prend fin, selon le cas :

1° Dès la mention en marge de l'acte initial de la déclaration conjointe prévue au premier alinéa ;

2° Trois mois après la signification délivrée en application du deuxième alinéa, sous réserve qu'une copie en ait été portée à la connaissance du greffier du tribunal désigné à cet alinéa ;

3° A la date du mariage ou du décès de l'un des partenaires.

Les partenaires procèdent eux-mêmes à la liquidation des droits et obligations résultant pour eux du pacte civil de solidarité. A défaut d'accord, le juge statue sur les conséquences patrimoniales de la rupture, sans préjudice de la réparation du dommage éventuellement subi.

## Chapitre II
### Du concubinage

Article 515-8 Le concubinage est une union de fait, caractérisée par une vie commune présentant un caractère de stabilité et de continuité, entre deux personnes, de sexe différent ou de même sexe, qui vivent en couple.

# Index thématique alphabétique

Index _____

Cet ouvrage a été achevé d'imprimer en février 2001
dans les ateliers de Normandie Roto Impression s.a.
61250 Lonrai
N° d'imprimeur : 010285
Dépôt légal : février 2001

*Imprimé en France*